LES
MISÉRABLES

Victor Hugo

LES MISÉRABLES

Première partie

Fantine

1

M. Myriel

En 1815, M. Charles-François-Bienvenu Myriel était évêque de Digne. C'était un vieillard d'environ soixante-quinze ans. Fils d'un conseiller au parlement d'Aix – noblesse de robe[1] –, il occupait le siège de Digne depuis 1806.

M. Myriel était arrivé à Digne accompagné d'une vieille fille, Mlle Baptistine, qui était sa sœur et qui avait dix ans de moins que lui. Ils avaient pour tout domestique une servante appelée Mme Magloire.

À son arrivée, on installa M. Myriel en son palais épiscopal avec les honneurs voulus par les décrets impériaux qui classent l'évêque immédiatement après le maréchal de camp. Le palais épiscopal de Digne était attenant à l'hôpital. C'était un vaste et bel hôtel bâti en pierre, un vrai logis seigneurial. L'hôpital était une maison étroite et basse, à un seul étage, avec un petit jardin.

---

1. L'ensemble des bourgeois anoblis grâce aux charges qu'ils ont accomplies.

Trois jours après son arrivée, l'évêque visita l'hôpital. La visite terminée, il fit prier le directeur de vouloir bien venir jusque chez lui.

— Monsieur le directeur de l'hôpital, lui dit-il, combien en ce moment avez-vous de malades ?

— Vingt-six, monseigneur. Mais ils sont bien serrés les uns contre les autres.

— Tenez, monsieur le directeur de l'hôpital, je vais vous dire. Il y a évidemment une erreur. Vous êtes vingt-six personnes dans cinq ou six petites chambres. Nous sommes trois ici, et nous avons place pour soixante. Il y a erreur, je vous dis. Vous avez mon logis, et j'ai le vôtre. Rendez-moi ma maison. C'est ici chez vous.

Le lendemain, les vingt-six pauvres malades étaient installés dans le palais de l'évêque, et l'évêque était à l'hôpital.

Pendant tout le temps qu'il occupa le siège de Digne, M. Myriel ne changea rien à cet arrangement. Il recevait de l'État un traitement de quinze mille francs. Il ne garda pour ses dépenses personnelles que quinze cents francs, le reste allant aux pauvres.

L'usage étant que les évêques énoncent leurs noms de baptême en tête de leurs mandements et de leurs lettres pastorales[2], les pauvres gens du pays avaient choisi, avec une sorte d'instinct affectueux, dans les noms et prénoms de l'évêque, celui qui leur présentait un sens, et ils ne l'appelaient que monseigneur Bienvenu. Du reste, cette appellation lui plaisait. « J'aime ce nom-là, disait-il. Bienvenu corrige monseigneur. »

---

2. Instructions écrites données par un évêque.

Sa conversation était affable et gaie. Il savait dire les choses les plus grandes dans les idiomes[3] les plus vulgaires.

Du reste, il était le même pour les gens du monde et pour les gens du peuple.

Il ne condamnait rien hâtivement, et sans tenir compte des circonstances. Il disait : « Voyons le chemin par où la faute a passé. »

Il arriva à Digne une aventure tragique. Un homme fut condamné à mort pour meurtre. C'était un malheureux pas tout à fait lettré, pas tout à fait ignorant, qui avait été bateleur dans les foires et écrivain public. Le procès occupa beaucoup la ville. La veille du jour fixé pour l'exécution du condamné, l'aumônier de la prison tomba malade. Il fallait un prêtre pour assister le patient à ses derniers moments. On alla chercher le curé. Il paraît qu'il refusa en disant : « Cela ne me regarde pas. Je n'ai que faire de cette corvée et de ce saltimbanque ; moi aussi je suis malade ; d'ailleurs ce n'est pas là ma place. » On rapporta cette réponse à l'évêque qui dit : « Monsieur le curé a raison. Ce n'est pas sa place, c'est la mienne. »

Il alla sur-le-champ à la prison, il descendit au cabanon du « saltimbanque », il l'appela par son nom, lui prit la main et lui parla. Il passa toute la journée auprès de lui, oubliant la nourriture et le sommeil, priant Dieu pour l'âme du condamné et priant le condamné pour la sienne propre. Il lui dit les meilleures vérités qui sont les plus simples. Il fut père, frère, ami ; évêque pour bénir seulement. Il lui enseigna tout, en le rassurant et en le consolant. Cet homme allait mourir désespéré. La mort était pour lui comme un abîme. Il n'était pas assez ignorant pour être

---

3. Langue.

absolument indifférent. Il regardait sans cesse au-dehors de ce monde par ces brèches fatales, et ne voyait que des ténèbres. L'évêque lui fit voir une clarté.

Le lendemain, quand on vint chercher le malheureux, l'évêque était là. Il le suivit et se montra aux yeux de la foule en camail[4] violet et avec sa croix épiscopale au cou, côte à côte avec ce misérable lié de cordes.

Il monta sur la charrette avec lui, il monta sur l'échafaud avec lui. Le patient, si morne et si accablé la veille, était rayonnant. Il sentait que son âme était réconciliée et il espérait Dieu. L'évêque l'embrassa, et, au moment où le couteau allait tomber, il lui dit : « Celui que l'homme tue, Dieu le ressuscite. » Quand il descendit de l'échafaud, il avait quelque chose dans son regard qui fit ranger le peuple.

La maison qu'il habitait se composait d'un rez-de-chaussée et d'un seul étage : trois pièces au rez-de-chaussée, trois chambres au premier, au-dessus un grenier. Derrière la maison, un jardin d'un quart d'arpent[5]. Les deux femmes occupaient le premier. L'évêque logeait en bas. La première pièce, qui s'ouvrait sur la rue, lui servait de salle à manger, la deuxième de chambre à coucher et la troisième d'oratoire. On ne pouvait sortir de cet oratoire[6], sans passer par la chambre à coucher, et sortir de la chambre à coucher sans passer par la salle à manger. Dans l'oratoire, au fond, il y avait une alcôve fermée, avec un lit pour les cas d'hospitalité.

Il faut convenir qu'il lui restait de ce qu'il avait possédé jadis six couverts d'argent et une cuillère à soupe que Mme Magloire regardait tous les jours avec bonheur reluire

---

4. Court manteau porté par certains ecclésiastiques.
5. Mesure d'un champ (environ 40 ares).
6. Pièce réservée à la prière.

splendidement sur la grosse nappe de t[...]
comme nous peignons ici l'évêque de Dig[...]
nous devons ajouter qu'il lui était arrivé pl[...]
dire : « Je renoncerais difficilement à mang[...]
genterie. »

Il faut ajouter à cette argenterie deux gros f[...]
gent massif qui lui venaient de l'héritage d'une gra[...]
Ces flambeaux portaient deux bougies de cire et figura[...]
habituellement sur la cheminée de l'évêque. Quand il avait
quelqu'un à dîner, Mme Magloire allumait les deux bougies
et mettait les deux flambeaux sur la table.

Il y avait dans la chambre même de l'évêque, à la tête de
son lit, un petit placard dans lequel Mme Magloire serrait
chaque soir les six couverts d'argent et la grande cuiller. Il
faut dire qu'on n'en ôtait jamais la clef.

La maison n'avait pas une porte qui fermât à clef. La
porte de la salle à manger, qui donnait de plain-pied sur
la place de la cathédrale, était jadis ornée de serrures et
de verrous comme une porte de prison. L'évêque avait fait
ôter toutes ces ferrures, et cette porte, la nuit comme le
jour, n'était fermée qu'au loquet. Le premier passant venu,
à quelque heure que ce fût, n'avait qu'à la pousser.

En neuf ans, à force de saintes actions et de douces
manières, monseigneur Bienvenu avait rempli la ville de
Digne d'une sorte de vénération tendre et filiale.

2

Héroïsme de l'obéissance passive

Ce soir-là, M. l'évêque de Digne travaillait encore à huit heures, écrivant incommodément sur de petits carrés de papier avec un gros livre ouvert sur ses genoux, quand Mme Magloire entra, selon son habitude, pour prendre l'argenterie dans le placard près du lit. Un moment après, l'évêque, sentant que le couvert était mis et que sa sœur l'attendait peut-être, ferma son livre, se leva de sa table, et entra dans la salle à manger.

Mme Magloire achevait en effet de mettre le couvert. Tout en vaquant au service, elle causait avec Mlle Baptistine.

Une lampe était sur la table ; la table était près de la cheminée. Un assez bon feu était allumé.

En ce moment, on frappa à la porte un coup assez violent.

— Entrez, dit l'évêque.

La porte s'ouvrit.

Un homme entra.

Il avait son sac sur l'épaule, son bâton à la main, une expression rude, hardie, fatiguée et violente dans les yeux. Le feu de la cheminée l'éclairait. Il était hideux. C'était une sinistre apparition.

Mme Magloire n'eut pas même la force de jeter un cri. Elle tressaillit, et resta béante.

Mlle Baptistine se retourna, aperçut l'homme qui entrait et se dressa à demi d'effarement, puis, ramenant peu à peu sa tête vers la cheminée, elle se mit à regarder son frère, et son visage redevint profondément calme et serein.

L'évêque fixait sur l'homme un œil tranquille.

Comme il ouvrait la bouche, sans doute pour demander au nouveau venu ce qu'il désirait, l'homme appuya ses deux mains à la fois sur son bâton, promena ses yeux tour à tour sur le vieillard et les femmes, et, sans attendre que l'évêque parlât, dit d'une voix haute :

— Voici. Je m'appelle Jean Valjean. Je suis un galérien[7]. J'ai passé dix-neuf ans au bagne[8]. Je suis libéré depuis quatre jours et en route pour Pontarlier qui est ma destination. Quatre jours que je marche depuis Toulon. Aujourd'hui, j'ai fait douze lieues à pieds. Ce soir, en arrivant dans ce pays, j'ai été dans une auberge, on m'a renvoyé à cause de mon passeport jaune que j'avais montré à la mairie. Il avait fallu. J'ai été à une auberge. On m'a dit : Va-t'en ! Chez l'un, chez l'autre. Personne n'a voulu de moi. J'ai été à la prison, le guichetier ne m'a pas ouvert. J'ai été dans la niche d'un chien. Ce chien m'a mordu et m'a chassé, comme s'il avait été un homme. On aurait dit qu'il savait qui j'étais. Je m'en suis allé dans les champs pour coucher à la belle

_____

7. Homme condamné au bagne..
8. Prison où les condamnés devaient se consacrer aux travaux forcés.

étoile. Il n'y avait pas d'étoile. J'ai pensé qu'il pleuvrait, et qu'il n'y avait pas de bon Dieu pour empêcher de pleuvoir, et je suis rentré dans la ville pour y trouver le renfoncement d'une porte. Là, dans la place, j'allais me coucher sur une pierre, une bonne femme m'a montré votre maison et m'a dit : Frappe là. J'ai frappé. Qu'est-ce que c'est ici ? Êtes-vous une auberge ? J'ai de l'argent, ma masse[9]. Cent neuf francs quinze sous que j'ai gagnés au bagne par mon travail en dix-neuf ans. Je payerai. Qu'est-ce que cela me fait ? j'ai de l'argent. Je suis très fatigué, douze lieues à pied, j'ai bien faim. Voulez-vous que je reste ?

— Madame Magloire, dit l'évêque, vous mettrez un couvert de plus.

L'homme fit trois pas et s'approcha de la lampe qui était sur la table.

— Tenez, reprit-il, comme s'il n'avait pas bien compris, ce n'est pas ça. Avez-vous entendu ? Je suis un galérien. Un forçat. Je viens des galères.

Il tira de sa poche une grande feuille de papier jaune qu'il déplia.

— Voilà mon passeport. Jaune, comme vous voyez. Cela sert à me faire chasser de partout, où je vais. Voulez-vous lire ? Je sais lire, moi. J'ai appris au bagne. Il y a une école pour ceux qui veulent. Tenez, voilà ce qu'on a mis sur le passeport : « Jean Valjean, forçat libéré, natif de... » cela vous est égal... « Est resté dix-neuf ans au bagne. Cinq ans pour vol avec effraction. Quatorze ans pour avoir tenté de s'évader quatre fois. Cet homme est très dangereux. » Voilà ! Tout le monde m'a jeté dehors. Voulez-vous me recevoir, vous ? Est-ce une auberge ?

---

9. Fortune.

Voulez-vous me donner à manger et à coucher ? Avez-vous une écurie ?

— Madame Magloire, dit l'évêque, vous mettrez des draps blancs au lit de l'alcôve.

Mme Magloire sortit pour exécuter ces ordres.

L'évêque se tourna vers l'homme :

— Monsieur, asseyez-vous et chauffez-vous. Nous allons souper dans un instant, et l'on fera votre lit pendant que vous souperez.

Ici l'homme comprit tout à fait. L'expression de son visage, jusqu'alors sombre et dure, s'empreignit[10] de stupéfaction, de doute, de joie, et devint extraordinaire. Il se mit à balbutier comme un homme fou :

— Vrai ? quoi ! vous me gardez ? vous ne me chassez pas ? un forçat ! Vous m'appelez *monsieur !* vous ne me tutoyez pas ? Je vais souper ! Un lit avec des matelas et des draps ! comme tout le monde ! Un lit ! il y a dix-neuf ans que je n'ai pas couché dans un lit ! Vous voulez bien que je ne m'en aille pas ! Vous êtes de dignes gens ! D'ailleurs j'ai de l'argent. Je payerai tout ce qu'on voudra. Vous êtes un brave homme. Vous êtes aubergiste, n'est-ce pas ?

— Je suis, dit l'évêque, un prêtre qui demeure ici.

— Un prêtre ! reprit l'homme. Oh ! un brave homme de prêtre ! Alors vous ne me demandez pas d'argent ? Le curé, n'est-ce pas ? le curé de cette grande église ? Tiens ! c'est vrai, que je suis bête ! je n'avais pas vu votre calotte.

Tout en parlant il avait déposé son sac et son bâton dans un coin, avait remis son passeport dans sa poche, et s'était assis. Mlle Baptistine le considérait avec douceur. Il continua :

---

10. Prit une expression.

— Vous êtes humain, monsieur le curé, vous n'avez pas de mépris. C'est bien bon un bon prêtre. Alors vous n'avez pas besoin que je paye ?

— Non, dit l'évêque, gardez votre argent.

Et il alla pousser la porte qui était restée toute grande ouverte.

Mme Magloire rentra. Elle apportait un couvert qu'elle mit sur la table.

— Madame Magloire, dit l'évêque, mettez ce couvert le plus près possible du feu.

Et se tournant vers son hôte :

— Le vent de nuit est dur dans les Alpes. Vous devez avoir froid, monsieur ?

Chaque fois qu'il disait ce mot *monsieur*, avec sa voix doucement grave et de si bonne compagnie, le visage de l'homme s'illuminait.

— Voici, reprit l'évêque, une lampe qui éclaire bien mal.

Mme Magloire comprit, et elle alla chercher sur la cheminée de la chambre à coucher de monseigneur les deux chandeliers d'argent qu'elle posa sur la table tout allumés.

— Monsieur le curé, dit l'homme, vous êtes bon. Vous ne me méprisez pas. Vous me recevez chez vous. Vous allumez vos cierges pour moi. Je ne vous ai pourtant pas caché d'où je viens et que je suis un homme malheureux.

L'évêque, assis près de lui, lui toucha doucement la main.

— Vous pouviez ne pas me dire qui vous étiez. Ce n'est pas ici ma maison, c'est la maison de Jésus-Christ. Cette porte ne demande pas à celui qui entre s'il a un nom, mais s'il a une douleur. Vous souffrez ; vous avez faim et soif ; soyez le bienvenu. Et ne me remerciez pas ; ne me dites pas que je vous reçois chez moi. Personne n'est ici chez soi, excepté celui qui a besoin d'un asile. Je vous le dis à vous qui passez, vous êtes ici chez vous plus que moi-même. Tout ce qui est ici est à vous. Qu'ai-je besoin de savoir votre nom ? D'ailleurs, avant que vous me le disiez, vous en avez un que je savais.

L'homme ouvrit des yeux étonnés :

— Vrai ? Vous saviez comment je m'appelle ?

— Oui, répondit l'évêque, vous vous appelez mon frère.

— Tenez, monsieur le curé ! s'écria l'homme, j'avais bien faim en entrant ici ; mais vous êtes si bon qu'à présent je ne sais plus ce que j'ai, cela m'a passé.

Cependant Mme Magloire avait servi le souper. Une soupe faite avec de l'eau, de l'huile, du pain et du sel, un peu de lard, un morceau de viande de mouton, des figues, un fromage frais, et un gros pain de seigle. Elle avait d'elle-même ajouté à l'ordinaire de M. l'évêque une bouteille de vieux vin de Mauves.

Le visage de l'évêque prit tout à coup cette expression de gaîté propre aux natures hospitalières :

— À table ! dit-il vivement.

Comme il en avait coutume lorsque quelque étranger soupait avec lui, il fit asseoir l'homme à sa droite. Mlle Baptistine, parfaitement paisible et naturelle, prit place à sa gauche.

L'évêque dit le bénédicité[11], puis servit lui-même la soupe, selon son habitude. L'homme se mit à manger avidement.

---

11. Prière que l'on prononce avant le repas, pour en remercier Dieu.

Tout à coup l'évêque dit :

— Mais il me semble qu'il manque quelque chose sur cette table.

Mme Magloire en effet n'avait mis que les trois couverts absolument nécessaires. Or, c'était l'usage de la maison, quand M. l'évêque avait quelqu'un à souper, de disposer sur la nappe les six couverts d'argent, étalage innocent. Ce gracieux semblant de luxe était une sorte d'enfantillage plein de charme, dans cette maison douce et sévère qui élevait la pauvreté jusqu'à la dignité.

Mme Magloire comprit l'observation, sortit sans dire un mot, et un moment après les trois couverts réclamés par l'évêque brillaient sur la nappe, symétriquement arrangés devant chacun des trois convives.

Après avoir donné le bonsoir à sa sœur, monseigneur Bienvenu prit sur la table un des deux flambeaux d'argent, remit l'autre à son hôte, et lui dit :

— Monsieur, je vais vous conduire à votre chambre.

L'homme le suivit.

Comme on a pu le remarquer dans ce qui a été dit plus haut, le logis était distribué de telle sorte que, pour passer dans l'oratoire où était l'alcôve ou pour en sortir, il fallait traverser la chambre à coucher de l'évêque.

Au moment où ils traversaient cette chambre, Mme Magloire serrait l'argenterie dans le placard qui était au chevet du lit. C'était le dernier soin qu'elle prenait chaque soir avant de s'aller coucher.

L'évêque installa son hôte dans l'alcôve. Un lit blanc et frais y était dressé. L'homme posa le flambeau sur une petite table.

— Allons, dit l'évêque, faites une bonne nuit.

— Merci, monsieur l'abbé, dit l'homme.

Quand l'alcôve était habitée, un grand rideau de serge[12] tiré de part en part de l'oratoire cachait l'autel[13]. L'évêque s'agenouilla en passant devant ce rideau et fit une courte prière.

Un moment après, il était dans son jardin, marchant, rêvant, contemplant, l'âme et la pensée tout entières à ces grandes choses mystérieuses que Dieu montre la nuit aux yeux qui restent ouverts.

Quant à l'homme, il était vraiment si fatigué qu'il n'avait même pas profité de ces bons draps blancs. Il avait soufflé sa bougie avec sa narine à la manière des forçats[14] et s'était laissé tomber tout habillé sur le lit, où il s'était tout de suite profondément endormi.

Minuit sonnait comme l'évêque rentrait de son jardin dans son appartement.

Quelques minutes après, tout dormait dans la petite maison.

---

12. Tissu serré.
13. Petite table où se tient le prêtre pour l'office religieux.
14. Autre nom du bagnard.

3

Jean Valjean

Vers le milieu de la nuit, Jean Valjean se réveilla.

Jean Valjean était d'une pauvre famille de paysans de la Brie. Dans son enfance, il n'avait pas appris à lire. Quand il eut l'âge d'homme, il était émondeur[15] à Faverolles. Sa mère s'appelait Jeanne Mathieu ; son père s'appelait Jean Valjean ou Vlajean, sobriquet probablement, et contraction de *Voilà Jean*.

Jean Valjean était d'un caractère pensif sans être triste, ce qui est le propre des natures affectueuses. Il avait perdu en très bas âge son père et sa mère. Il n'était resté à Jean Valjean qu'une sœur plus âgée que lui, veuve, avec sept enfants, filles et garçons. Cette sœur avait élevé Jean Valjean, et tant qu'elle eut son mari, elle logea et nourrit son jeune frère. Le mari mourut. L'aîné des sept enfants avait huit ans, le dernier un an. Jean Valjean venait d'atteindre, lui, sa vingt-cinquième année. Il remplaça le père, et soutint à son tour sa sœur qui l'avait élevé. Cela se fit simplement, comme un devoir, même

---

15. Personne qui élague les arbres.

avec quelque chose de bourru de la part de Jean Valjean. Sa jeunesse se dépensait ainsi dans un travail rude et mal payé. Il n'avait pas eu le temps d'être amoureux.

Il gagnait dans la saison de l'émondage dix-huit sous par jour, puis il se louait comme moissonneur, comme manœuvre[16], comme garçon de ferme bouvier[17], comme homme de peine. Il faisait ce qu'il pouvait. Sa sœur travaillait de son côté, mais que faire avec sept petits enfants ? C'était un triste groupe que la misère enveloppa et étreignit peu à peu. Il arriva qu'un hiver fut rude. Jean n'eut pas d'ouvrage. La famille n'eut pas de pain. Pas de pain. À la lettre. Sept enfants.

Un dimanche soir, Maubert Isabeau, boulanger sur la place de l'église, à Faverolles, se disposait à se coucher, lorsqu'il entendit un coup violent dans la devanture grillée et vitrée de sa boutique. Il arriva à temps pour voir un bras passé à travers un trou fait d'un coup de poing dans la grille et dans la vitre. Le bras saisit un pain et l'emporta. Isabeau sortit en hâte ; le voleur s'enfuyait à toutes jambes ; Isabeau courut après lui et l'arrêta. Le voleur avait jeté le pain, mais il avait encore le bras ensanglanté. C'était Jean Valjean.

Ceci se passait en 1795. Jean Valjean fut traduit devant les tribunaux du temps « pour vol avec effraction la nuit dans une maison habitée ». Il avait un fusil dont il se servait mieux que tireur au monde, il était quelque peu braconnier ; ce qui lui nuisit.

Jean Valjean fut déclaré coupable et fut condamné à cinq ans de galères.

Le 22 avril 1796, il partit pour Toulon. Il y arriva après un voyage de vingt-sept jours, sur une charrette, la chaîne au cou. À Toulon, il fut revêtu de la casaque rouge. Que

---

16. Ouvrier qui loue ses services pour de menus travaux manuels.
17. Personne qui garde les vaches.

devint la sœur ? Que devinrent les sept enfants ? Qui est-ce qui s'occupe de cela ?

Vers la fin de la quatrième année, le tour d'évasion de Jean Valjean arriva. Ses camarades l'aidèrent comme cela se fait dans ce triste lieu. Il s'évada. Le soir du second jour, il fut repris. Il n'avait ni mangé ni dormi depuis trente-six heures. Le tribunal maritime le condamna pour ce délit à une prolongation de trois ans, ce qui lui fit huit ans. La sixième année, ce fut encore son tour de s'évader ; il en usa, mais il ne put consommer sa fuite. Il avait manqué à l'appel. On tira le coup de canon, et à la nuit les gens de ronde le trouvèrent caché sous la quille d'un vaisseau en construction ; il résista aux gardes-chiourme[18] qui le saisirent. Évasion et rébellion. Ce fait prévu par le code spécial fut puni d'une aggravation de cinq ans, dont deux ans de double chaîne. Treize ans. La dixième année, son tour revint, il en profita encore. Il ne réussit pas mieux. Trois ans pour cette nouvelle tentative. Seize ans. Enfin, ce fut, je crois, pendant la treizième année qu'il essaya une dernière fois et ne réussit qu'à se faire reprendre après quatre heures d'absence. Trois ans pour ces quatre heures. Dix-neuf ans. En octobre 1815 il fut libéré, il était entré là en 1796 pour avoir cassé un carreau et pris un pain.

Jean Valjean était entré au bagne sanglotant et frémissant ; il en sortit impassible. Il y était entré désespéré ; il en sortit sombre.

Que s'était-il passé dans cette âme ?

D'année en année, cette âme s'était desséchée de plus en plus, lentement, mais fatalement. À cœur sec, œil sec. À sa sortie du bagne, il y avait dix-neuf ans qu'il n'avait versé une larme.

---

18. Gardiens du bagne (réputés pour leur cruauté).

4

Le voleur et l'évêque

Donc comme deux heures du matin sonnaient à l'horloge de la cathédrale, Jean Valjean se réveilla.

Ce qui le réveilla, c'est que le lit était trop bon. Il y avait vingt ans bientôt qu'il n'avait couché dans un lit, et quoiqu'il ne se fût pas déshabillé, la sensation était trop nouvelle pour ne pas troubler son sommeil.

Il avait dormi plus de quatre heures. Sa fatigue était passée.

Il était dans un de ces moments où les idées qu'on a dans l'esprit sont troubles. Ses souvenirs anciens et ses souvenirs immédiats y flottaient pêle-mêle et s'y croisaient confusément. Beaucoup de pensées lui venaient, mais il y en avait une qui se représentait continuellement et qui chassait toutes les autres : il avait remarqué les six couverts d'argent et la grande cuiller que Mme Magloire avait posés sur la table.

Ces six couverts d'argent l'obsédaient. Ils étaient là. À quelques pas. À l'instant où il avait traversé la chambre d'à côté pour venir dans celle où il était, la vieille servante les mettait dans un petit placard à la tête du lit. Il avait bien remarqué ce placard. À droite, en entrant par la salle à manger. Ils étaient massifs. Et de vieille argenterie. Avec la grande cuiller, on en tirerait au moins deux cents francs. Le double de ce qu'il avait gagné en dix-neuf ans.

Il se leva debout, hésita encore un moment, et écouta ; tout se taisait dans la maison ; alors il marcha droit et à petits pas vers la fenêtre qu'il entrevoyait. Il regarda le jardin de ce regard attentif qui étudie plus qu'il ne regarde. Le jardin était enclos d'un mur blanc assez bas, facile à escalader.

Ce coup d'œil jeté, il fit le mouvement d'un homme déterminé, marcha à son alcôve, prit son havresac, le fouilla, en tira quelque chose qu'il posa sur le lit, mit ses souliers dans une de ses poches, referma le tout, chargea le sac sur ses épaules, se couvrit de sa casquette dont il baissa la visière sur ses yeux, chercha son bâton en tâtonnant, et l'alla poser dans l'angle de la fenêtre, puis revint au lit et saisit résolument l'objet qu'il y avait déposé. C'était un chandelier de mineur. Il prit le chandelier dans sa main droite, et retenant son haleine, assourdissant son pas, il se dirigea vers la porte de la chambre voisine, celle de l'évêque, comme on sait. Arrivé à cette porte, il la trouva entrebâillée. L'évêque ne l'avait point fermée.

Jean Valjean écouta. Aucun bruit.

Il poussa la porte.

Jean Valjean marcha rapidement, le long du lit, sans regarder l'évêque, droit au placard qu'il entrevoyait près du chevet ; il leva le chandelier de fer comme pour forcer la serrure ; la clef y était ; il l'ouvrit ; la première chose qui lui apparut fut le panier d'argenterie ; il le prit, traversa la chambre à grands pas sans précaution et sans s'occuper du bruit, gagna la porte, rentra dans l'oratoire, ouvrit la fenêtre, saisit son bâton, enjamba l'appui du rez-de-chaussée, mit l'argenterie dans son sac, jeta le panier, franchit le jardin, sauta par-dessus le mur comme un tigre, et s'enfuit.

Le lendemain, au soleil levant, monseigneur Bienvenu se promenait dans son jardin. Mme Magloire accourut vers lui toute bouleversée.

— Monseigneur, monseigneur, cria-t-elle, votre grandeur sait-elle où est le panier d'argenterie ?

— Oui, dit l'évêque.

L'évêque venait de ramasser le panier dans une plate-bande. Il le présenta à Mme Magloire.

— Le voilà.

— Eh bien ? dit-elle. Rien dedans ? et l'argenterie ?

— Ah ! repartit l'évêque. C'est donc l'argenterie qui vous occupe ? Je ne sais où elle est.

— Grand bon Dieu ! elle est volée ! c'est l'homme d'hier soir qui l'a volée !

L'évêque resta un moment silencieux, puis leva son œil sérieux, et dit à Mme Magloire avec douceur :

— Et d'abord, cette argenterie était-elle à nous ?

Mme Magloire resta interdite. Il y eut encore un silence, puis l'évêque continua :

— Madame Magloire, je détenais à tort et depuis longtemps cette argenterie. Elle était aux pauvres. Qu'était-ce que cet homme ? Un pauvre évidemment.

— Hélas Jésus ! repartit Mme Magloire. Ce n'est pas pour moi ni pour mademoiselle. Cela nous est bien égal. Mais c'est pour monseigneur. Dans quoi monseigneur va-t-il manger maintenant ?

L'évêque la regarda d'un air étonné.

— Ah çà ! est-ce qu'il n'y a pas de couverts d'étain ?

Mme Magloire haussa les épaules.

— L'étain a une odeur.

— Alors, des couverts de fer.

Mme Magloire fit une grimace expressive.

— Le fer a un goût.

— Eh bien, dit l'évêque, des couverts de bois.

Quelques instants après, il déjeunait à cette même table où Jean Valjean s'était assis la veille. Tout en déjeunant, monseigneur Bienvenu faisait gaiement remarquer à sa sœur qui ne disait rien et à Mme Magloire qui grommelait[19] sourdement, qu'il n'est nullement besoin d'une cuiller ni d'une fourchette, même en bois, pour tremper un morceau de pain dans une tasse de lait.

Comme le frère et la sœur allaient se lever de table, on frappa à la porte.

— Entrez, dit l'évêque.

La porte s'ouvrit. Un groupe étrange et violent apparut sur le seuil. Trois hommes en tenaient un quatrième au collet. Les trois hommes étaient des gendarmes ; l'autre était Jean Valjean. Un brigadier de gendarmerie, qui semblait conduire le groupe, était près de la porte. Il entra et s'avança vers l'évêque en faisant le salut militaire.

— Monseigneur..., dit-il.

À ce mot, Jean Valjean, qui était morne et semblait abattu, releva la tête d'un air stupéfait.

— Monseigneur ! murmura-t-il. Ce n'est donc pas le curé...

— Silence, dit un gendarme. C'est monseigneur l'évêque.

---

19. Murmurait des mots incompréhensibles.

Cependant monseigneur Bienvenu s'était approché aussi vivement que son grand âge le lui permettait.

— Ah ! vous voilà ! s'écria-t-il en regardant Jean Valjean. Je suis aise de vous voir. Eh bien, mais ! je vous avais donné les chandeliers aussi, qui sont en argent comme le reste et dont vous pourrez bien avoir deux cents francs. Pourquoi ne les avez-vous pas emportés avec vos couverts ?

Jean Valjean ouvrit les yeux et regarda le vénérable[20] évêque avec une expression qu'aucune langue humaine ne pourrait rendre.

— Monseigneur, dit le brigadier de gendarmerie, ce que cet homme disait était donc vrai ? Nous l'avons rencontré. Il allait comme quelqu'un qui s'en va. Nous l'avons arrêté pour voir. Il avait cette argenterie.

— Et il vous a dit, interrompit l'évêque en souriant, qu'elle lui avait été donnée par un vieux bonhomme de prêtre chez lequel il avait passé la nuit ? Je vois la chose. Et vous l'avez ramené ici ? C'est une méprise.

— Comment cela, reprit le brigadier, nous pouvons le laisser aller ?

— Sans doute, répondit l'évêque.

Les gendarmes lâchèrent Jean Valjean qui recula.

— Est-ce que c'est vrai qu'on me laisse ? dit-il d'une voix presque inarticulée.

— Oui, on te laisse, tu n'entends donc pas ? dit un gendarme.

— Mon ami, reprit l'évêque, avant de vous en aller, voici vos chandeliers. Prenez-les.

Il alla à la cheminée, prit les deux flambeaux d'argent et les apporta à Jean Valjean. Les deux femmes le regar-

20. Digne d'un grand respect.

daient faire sans un mot, sans un geste, sans un regard qui pût déranger l'évêque.

Jean Valjean tremblait de tous ses membres. Il prit les deux chandeliers machinalement et d'un air égaré.

— Maintenant, dit l'évêque, allez en paix. À propos, quand vous reviendrez, mon ami, il est inutile de passer par le jardin. Vous pourrez toujours entrer et sortir par la porte de la rue. Elle n'est fermée qu'au loquet jour et nuit.

Puis se tournant vers la gendarmerie :

— Messieurs, vous pouvez vous retirer.

Les gendarmes s'éloignèrent.

Jean Valjean était comme un homme qui va s'évanouir.

L'évêque s'approcha de lui, et lui dit à voix basse :

— N'oubliez pas, n'oubliez jamais que vous m'avez promis d'employer cet argent à devenir honnête homme.

Jean Valjean, qui n'avait aucun souvenir d'avoir rien promis, resta interdit[21]. L'évêque avait appuyé sur ces paroles en les prononçant. Il reprit avec solennité :

— Jean Valjean, mon frère, vous n'appartenez plus au mal, mais au bien. C'est votre âme que je vous achète ; et je la donne à Dieu.

---

21. Stupéfait.

5

Double quatuor

En cette année 1817, quatre jeunes Parisiens firent « une bonne farce ».

Ces Parisiens étaient l'un de Toulouse, l'autre de Limoges, le troisième de Cahors et le quatrième de Montauban ; mais ils étaient étudiants, et qui dit étudiant dit parisien.

Ces jeunes gens étaient insignifiants.

Ils s'appelaient l'un Félix Tholomyès, l'autre Listolier, l'autre Fameuil et le dernier Blachevelle. Naturellement chacun avait son amie. Blachevelle aimait Favourite, ainsi nommée parce qu'elle était allée en Angleterre ; Listolier adorait Dahlia, qui avait pour nom de guerre un nom de fleur ; Fameuil idolâtrait Zéphine, abrégé de Joséphine ; Tholomyès avait Fantine, dite la Blonde à cause de ses beaux cheveux couleur de soleil.

Fantine était un de ces êtres comme il en éclôt[22], pour ainsi dire, au fond du peuple. Sortie des plus insondables épaisseurs de l'ombre sociale, elle avait au front le signe

---

22. Comme il en naît, il en fleurit.

de l'anonyme et de l'inconnu. Elle était née à Montreuil-sur-Mer. On ne lui avait jamais connu ni père ni mère. Elle se nommait Fantine. Pourquoi Fantine ? On ne lui avait jamais connu d'autre nom. Elle reçut un nom comme elle recevait l'eau des nuées sur son front quand il pleuvait. On l'appela la petite Fantine. Personne n'en savait davantage. Cette créature humaine était venue dans la vie comme cela. À dix ans, Fantine quitta la ville et s'alla mettre en service chez des fermiers des environs. À quinze ans, elle vint à Paris « chercher fortune ». Fantine était belle et resta pure le plus longtemps qu'elle put. C'était une jolie blonde avec de belles dents. Elle avait de l'or et des perles pour dot, mais son or était sur sa tête et ses perles étaient dans sa bouche.

Elle travailla pour vivre ; puis, toujours pour vivre, car le cœur a sa faim aussi, elle aima.

Elle aima Tholomyès.

Amourette pour lui, passion pour elle.

Blachevelle, Listolier et Fameuil formaient une sorte de groupe dont Tholomyès était la tête. C'était lui qui avait l'esprit.

Tholomyès était l'antique étudiant vieux ; il était riche ; il avait quatre mille francs de rente. Tholomyès était un viveur[23] de trente ans, mal conservé. Il était ridé et édenté ; et il ébauchait une calvitie. Sa jeunesse, pliant bagage bien avant l'âge, battait en retraite en bon ordre, éclatait de rire, et l'on n'y voyait que du feu. En outre, il doutait supérieurement de toute chose, grande force aux yeux des faibles. Donc, étant ironique et chauve, il était le chef.

Un jour Tholomyès prit à part les trois autres, fit un geste d'oracle, et leur dit :

---

23. Bon vivant (péjoratif).

— Il y a bientôt un an que Fantine, Dahlia, Zéphine et Favourite nous demandent de leur faire une surprise. Nous la leur avons promise solennellement. Le moment me semble venu. Causons.

Sur ce, Tholomyès baissa la voix, et articula mystérieusement quelque chose de si gai qu'un vaste et enthousiaste ricanement sortit des quatre bouches à la fois et que Blachevelle s'écria :

— Ça, c'est une idée !

Un estaminet[24] plein de fumée se présenta, ils y entrèrent et le reste de leur conférence se perdit dans l'ombre.

Le résultat de ces ténèbres fut une éblouissante partie de plaisir qui eut lieu le dimanche suivant, les quatre jeunes gens invitant les quatre jeunes filles.

On entrait dans les vacances, et ce dimanche était une chaude et claire journée d'été. C'est pourquoi ils se levèrent à cinq heures du matin. Puis ils allèrent à Saint-Cloud par le coche, et déjeunèrent à la *Tête-Noire*.

Les jeunes filles bruissaient et bavardaient comme des fauvettes échappées. Toutes quatre étaient follement jolies.

Après le déjeuner les quatre couples étaient allés voir, dans ce qu'on appelait alors le carré du roi[25], une plante nouvellement arrivée de l'Inde, et qui à cette époque attirait tout Paris à Saint-Cloud.

L'arbuste vu, Tholomyès s'était écrié : « J'offre des ânes ! » et, prix fait avec un ânier, ils étaient revenus par Vanves et Issy.

Les ânes quittés, joie nouvelle ; on passa la Seine en bateau, et de Passy, à pied, ils gagnèrent la barrière de

_____

24. Café, bistrot.
25. Jardin du roi.

l'Étoile. Puis on songea à dîner, et le radieux huitain[26], enfin un peu las, échoua au cabaret Bombarda.

De temps en temps Favourite s'écriait :

— Et la surprise ? je demande la surprise.

— Justement. L'instant est arrivé, répondit Tholomyès. Messieurs, l'heure de surprendre ces dames a sonné. Mesdames, attendez-nous un moment.

Ils se dirigèrent vers la porte tous les quatre à la file, en mettant leur doigt sur la bouche.

Favourite battit des mains à leur sortie.

— C'est déjà amusant, dit-elle.

— Ne soyez pas trop longtemps, murmura Fantine. Nous vous attendons.

Les jeunes filles, restées seules, s'accoudèrent deux à deux sur l'appui des fenêtres, jasant[27], penchant leur tête et se parlant d'une croisée à l'autre.

Elles virent les jeunes gens sortir du cabaret Bombarda bras dessus, bras dessous ; ils se retournèrent, leur firent des signes en riant, et disparurent dans cette poudreuse cohue du dimanche qui envahit hebdomadairement[28] les Champs-Élysées.

Un certain temps s'écoula ainsi. Tout à coup Favourite eut le mouvement de quelqu'un qui se réveille.

— Eh bien, fit-elle, et la surprise ?

— Ils sont bien longtemps ! dit Fantine.

Comme Fantine achevait ce soupir, le garçon qui avait servi le dîner entra. Il tenait à la main quelque chose qui ressemblait à une lettre.

— Qu'est-ce que cela ? demanda Favourite.

---

26. Groupe de huit personnes.
27. Bavardant.
28. Chaque semaine.

Le garçon répondit :

— C'est un papier que ces messieurs ont laissé pour ces dames.

— Pourquoi ne l'avoir pas apporté tout de suite ?

— Parce que ces messieurs, reprit le garçon, ont commandé de ne le remettre à ces dames qu'au bout d'une heure.

Favourite arracha le papier des mains du garçon. C'était une lettre en effet :

— Tiens ! dit-elle. Il n'y a pas d'adresse. Mais voici ce qui est écrit dessus :

CECI EST LA SURPRISE.

Elle décacheta vivement la lettre, l'ouvrit et lut (elle savait lire) :

Ô nos amantes !

Sachez que nous avons des parents. Des parents, vous ne connaissez pas beaucoup ça. Ça s'appelle des pères et mères dans le code civil, puéril [29] et honnête. Or, ces parents gémissent, ces vieillards nous réclament, ces bons hommes et ces bonnes femmes nous appellent enfants prodigues [30], ils souhaitent nos retours, et nous offrent de tuer des veaux. Nous leur obéissons, étant vertueux. À l'heure où vous lirez ceci, cinq chevaux fougueux nous rapporteront à nos papas et à nos mamans. La diligence de Toulouse nous arrache à l'abîme, et l'abîme c'est vous, ô nos belles petites ! Nous rentrons dans la société, dans le devoir et dans l'ordre, au grand trot, à raison de trois lieues à l'heure. Il importe à la patrie que nous soyons, comme tout le monde, préfets, pères de famille, gardes champêtres et conseillers d'État. Vénérez-nous. Nous

---

29. De l'enfance.
30. Qui rentrent chez eux après avoir dissipé tout leur bien.

nous sacrifions. Pleurez-nous rapidement et remplacez-nous vite. Si cette lettre vous déchire, rendez-le-lui. Adieu.

Pendant près de deux ans nous vous avons rendues heureuses. Ne nous en gardez pas rancune.

    Signé : BLACHEVELLE.

      FAMEUIL.

      LISTOLIER.

      FÉLIX THOLOMYÈS.

POST-SCRIPTUM. *Le dîner est payé.*

Les quatre jeunes filles se regardèrent.

Favourite rompit la première le silence.

— Eh bien ! s'écria-t-elle, c'est tout de même une bonne farce.

— C'est très drôle, dit Zéphine.

— C'est une idée de Tholomyès. Ça se reconnaît.

— Vive Tholomyès ! crièrent Dahlia et Zéphine.

Et elles éclatèrent de rire. Fantine rit comme les autres.

Une heure après, quand elle fut rentrée dans sa chambre, elle pleura. C'était son premier amour ; elle s'était donnée à ce Tholomyès comme à un mari, et la pauvre fille avait un enfant.

6

Esquisse de deux figures louches

Il y avait, dans le premier quart de ce siècle, à Montfermeil, près Paris, une gargote[31] tenue par des gens appelés Thénardier, mari et femme, située dans la ruelle du Boulanger. On voyait au-dessus de la porte une planche clouée à plat sur le mur. Sur cette planche était peint quelque chose qui ressemblait à un homme portant sur son dos un autre homme, lequel avait de grosses épaulettes de général dorées avec de larges étoiles argentées ; des taches rouges figuraient du sang : le reste du tableau était de la fumée et représentait probablement une bataille. Au bas on lisait cette inscription : AU SERGENT DE WATERLOO.

Rien n'est plus ordinaire qu'un tombereau[32] ou une charrette à la porte d'une auberge. Cependant le véhicule ou, pour mieux dire, le fragment de véhicule qui encombrait la rue devant la gargote du Sergent de Waterloo, un soir du printemps de 1818, eût certainement attiré par sa

---

31. Petite auberge, souvent misérable.
32. Caisse montée sur deux roues.

masse l'attention d'un peintre qui eût passé là. Sous l'essieu pendait en draperie une grosse chaîne et sur la courbure, comme sur la corde d'une balançoire, étaient assises deux petites filles, l'une d'environ deux ans et demi, l'autre de dix-huit mois, la plus petite dans les bras de la plus grande. Un mouchoir savamment noué les empêchait de tomber.

Tout en berçant ses deux petites, la mère chantonnait d'une voix fausse une romance[33] alors célèbre :

Il le faut, disait un guerrier...

Cependant quelqu'un s'était approché d'elle, comme elle commençait le premier couplet de la romance, et tout à coup elle entendit une voix qui disait très près de son oreille :

— Vous avez là deux jolis enfants, madame.

Une femme était devant elle, à quelques pas. Cette femme, elle aussi, avait un enfant, qu'elle portait dans ses bras.

Elle portait en outre un assez gros sac de nuit qui semblait fort lourd.

L'enfant de cette femme était un des plus divins êtres qu'on pût voir. C'était une fille de deux à trois ans. Elle était admirablement rose et bien portante. La belle petite donnait envie de mordre dans les pommes de ses joues. On ne pouvait rien dire de ses yeux, sinon qu'ils devaient être très grands et qu'ils avaient des cils magnifiques. Elle dormait.

Elle dormait de ce sommeil d'absolue confiance propre à son âge. Les bras des mères sont faits de tendresse ; les enfants y dorment profondément.

---

33. Chanson sentimentale.

Quant à la mère, l'aspect en était pauvre et triste. Elle avait la mise d'une ouvrière qui tend à redevenir paysanne. C'était Fantine. Difficile à reconnaître. Pourtant, à l'examiner attentivement, elle avait toujours sa beauté. Un pli triste, qui ressemblait à un commencement d'ironie, ridait sa joue droite.

Dix mois s'étaient écoulés depuis « la bonne farce ».

Que s'était-il passé pendant ces dix mois ?

Après l'abandon, la gêne. Fantine avait tout de suite perdu de vue Favourite, Zéphine et Dahlia, elle se trouva absolument isolée. Nulle ressource. Fantine savait à peine lire et ne savait pas écrire ; on lui avait seulement appris dans son enfance à signer son nom ; elle avait fait écrire par un écrivain public une lettre à Tholomyès, puis une seconde, puis une troisième. Tholomyès n'avait répondu à aucune. Quel parti prendre pourtant ? Elle ne savait plus à qui s'adresser. Elle sentit vaguement qu'elle était à la veille de tomber dans la détresse et de glisser dans le pire. Il fallait du courage ; elle en eut, et se roidit[34]. L'idée lui vint de retourner dans sa ville natale, à Montreuil-sur-Mer. Elle vendit tout ce qu'elle avait, ce qui lui produisit deux cents francs ; ses petites dettes payées, elle n'eut plus que quatre-vingts francs environ. À vingt-deux ans, par une belle matinée de printemps, elle quittait Paris, emportant son enfant sur son dos.

Vers le milieu du jour, après avoir, pour se reposer, cheminé de temps en temps, moyennant trois ou quatre sous par lieue, dans ce qu'on appelait alors les Petites Voitures des Environs de Paris, Fantine se trouvait à Montfermeil dans la ruelle du Boulanger.

---

34. Se raidit.

Comme elle passait devant l'auberge Thénardier, les deux petites filles, enchantées sur leur escarpolette[35] monstre, avaient été pour elle une sorte d'éblouissement, et elle s'était arrêtée devant cette vision de joie. Elle les considérait, tout émue. Elle crut voir au-dessus de cette auberge le mystérieux ICI de la providence. Ces deux petites étaient évidemment heureuses ! Au moment où la mère reprenait haleine entre deux vers de sa chanson, elle ne put s'empêcher de lui dire ce mot qu'on vient de lire :

— Vous avez là deux jolis enfants, madame.

Les créatures les plus féroces sont désarmées par la caresse à leurs petits. La mère leva la tête et remercia, et fit asseoir la passante sur le banc de la porte. Les deux femmes causèrent.

— Je m'appelle madame Thénardier, dit la mère des deux petites. Nous tenons cette auberge.

Cette Mme Thénardier était une femme rousse, charnue, anguleuse.

La voyageuse raconta son histoire, un peu modifiée.

Qu'elle était ouvrière ; que son mari était mort ; que le travail lui manquait à Paris, et qu'elle allait en chercher ailleurs ; dans son pays ; qu'elle avait quitté Paris le matin même, à pied ; que la petite avait un peu marché, mais pas beaucoup, c'est si jeune, et qu'il avait fallu la prendre, et que le bijou s'était endormi.

Et sur ce mot elle donna à sa fille un baiser passionné qui la réveilla. L'enfant ouvrit les yeux, de grands yeux bleus comme ceux de sa mère, et regarda, quoi ? rien, tout, avec cet air sérieux et quelquefois sévère des petits enfants. Puis l'enfant se mit à rire, et, quoique la mère la retînt, glissa à terre avec l'indomptable énergie d'un petit être qui veut

_____

35. Banc de la balançoire.

courir. Tout à coup elle aperçut les deux autres sur leur balançoire, s'arrêta court, et tira la langue, signe d'admiration.

La mère Thénardier détacha ses filles, les fit descendre de l'escarpolette, et dit :

— Amusez-vous toutes les trois.

Ces âges-là s'apprivoisent vite ; et au bout d'une minute les petites Thénardier jouaient avec la nouvelle venue à faire des trous dans la terre, plaisir immense.

Les deux femmes continuaient de causer.

— Comment s'appelle votre mioche ?

— Cosette.

La petite se nommait Euphrasie. Mais d'Euphrasie la mère avait fait Cosette.

— Quel âge a-t-elle ?

— Elle va sur trois ans.

— C'est comme mon aînée, Éponine. Azelma n'a que dix-huit mois.

Cependant les trois petites filles étaient groupées dans une posture d'anxiété profonde et de béatitude ; un événement avait lieu ; un gros ver venait de sortir de terre ; et elles avaient peur, et elles étaient en extase.

Leurs fronts radieux se touchaient ; on eût dit trois têtes dans une auréole.

— Les enfants, s'écria la mère Thénardier, comme ça se connaît tout de suite ! les voilà qu'on jurerait trois sœurs !

Ce mot fut l'étincelle qu'attendait probablement l'autre mère. Elle saisit la main de la Thénardier, la regarda fixement et lui dit :

— Voulez-vous me garder mon enfant ?

La Thénardier eut un de ces mouvements surpris qui ne sont ni le consentement ni le refus.

La mère de Cosette poursuivit :

— Voyez-vous, je ne peux pas emmener ma fille au pays. L'ouvrage[36] ne le permet pas. Avec un enfant, on ne trouve pas à se placer[37]. Ils sont si ridicules dans ce pays-là. C'est le bon Dieu qui m'a fait passer devant votre auberge. Quand j'ai vu vos petites si jolies et si propres et si contentes, cela m'a bouleversée. J'ai dit : « Voilà une bonne mère. » C'est ça : ça fera trois sœurs. Et puis, je ne serai pas longtemps à revenir. Voulez-vous me garder mon enfant ?

— Il faudrait voir, dit la Thénardier.

— Je donnerais six francs par mois.

Ici une voix d'homme cria du fond de la gargote :

— Pas moins de sept francs. Et six mois payés d'avance.

— Six fois sept quarante-deux, dit la Thénardier.

— Je les donnerai, dit la mère.

— Et quinze francs en dehors pour les premiers frais, ajouta la voix d'homme.

— Total cinquante-sept francs, dit la madame Thénardier.

— Je les donnerai, dit la mère, j'ai quatre-vingts francs. Il me restera de quoi aller au pays. En allant à pied. Je gagnerai de l'argent là-bas, et dès que j'en aurai un peu, je reviendrai chercher l'amour.

La voix d'homme reprit :

— La petite a un trousseau[38]?

— C'est mon mari, dit la Thénardier.

— Sans doute elle a un trousseau, le pauvre trésor. J'ai bien vu que c'était votre mari. Et un beau trousseau encore !

---

36. Travail.
37. Trouver un travail.
38. Ensemble de vêtements.

un trousseau insensé. Tout par douzaines : et des robes de soie comme une dame. Il est là dans mon sac de nuit.

— Il faudra le donner, repartit la voix d'homme.

— Je crois bien que je le donnerai ! dit la mère. Ce serait cela qui serait drôle si je laissais ma fille toute nue !

La face du maître apparut.

— C'est bon, dit-il.

Le marché fut conclu. La mère passa la nuit à l'auberge, donna son argent et laissa son enfant, renoua son sac de nuit dégonflé du trousseau et léger désormais, et partit le lendemain matin, comptant revenir bientôt. On arrange tranquillement ces départs-là, mais ce sont des désespoirs.

Quand la mère de Cosette fut partie, l'homme dit à la femme :

— Cela va me payer mon effet[39] de cent dix francs qui échoit demain. Il me manquait cinquante francs. Sais-tu que j'aurais eu l'huissier et un protêt[40]? Tu as fait là une bonne souricière avec tes petites.

— Sans m'en douter, dit la femme.

La souris prise était bien chétive ; mais le chat se réjouit même d'une souris maigre.

Qu'était-ce que ce Thénardier ?

S'il fallait l'en croire, il avait été soldat ; sergent, disait-il ; il avait fait probablement la campagne de 1815, et s'était même comporté assez bravement, à ce qu'il paraît. L'enseigne de son cabaret était une allusion à l'un de ses faits d'armes. Il l'avait peinte lui-même, car il savait faire un peu de tout, mal.

---

39. Papier officiel mentionnant qu'une somme d'argent est due.

40. Lettre d'un huissier contre quelqu'un qui ne paie pas ce qu'il doit.

Il ne suffit pas d'être méchant pour prospérer. La gargote allait mal.

Grâce aux cinquante-sept francs de la voyageuse, Thénardier avait pu éviter un protêt et faire honneur à sa signature. Le mois suivant ils eurent encore besoin d'argent ; la femme porta à Paris et engagea au mont-de-piété[41] le trousseau de Cosette pour une somme de soixante francs. Dès que la somme fut dépensée, les Thénardier s'accoutumèrent à ne plus voir dans la petite fille qu'un enfant qu'ils avaient chez eux par charité, et la traitèrent en conséquence. Comme elle n'avait plus de trousseau, on l'habilla des vieilles jupes et des vieilles chemises des petites Thénardier, c'est-à-dire de haillons. On la nourrit des restes de tout le monde, un peu mieux que le chien, et un peu plus mal que le chat.

La mère, qui s'était fixée à Montreuil-sur-Mer, faisait écrire tous les mois afin d'avoir des nouvelles de son enfant. Les Thénardier répondaient invariablement : Cosette est à merveille.

Les six premiers mois révolus, la mère envoya sept francs pour le septième mois, et continua assez exactement ses envois de mois en mois. L'année n'était pas finie que le Thénardier dit :

— Une belle grâce qu'elle nous fait là ! que veut-elle que nous fassions avec ses sept francs ?

Et il écrivit pour exiger douze francs. La mère, à laquelle ils persuadaient que son enfant était heureuse « et venait bien[42] », se soumit et envoya les douze francs.

Une année s'écoula, puis une autre.

---

41. Lieu où l'on dépose des objets contre de l'argent prêté.
42. Grandissait bien.

On disait dans le village : « Ces Thénardier sont de braves gens. Ils ne sont pas riches, et ils élèvent un pauvre enfant qu'on leur a abandonné chez eux ! »

On croyait Cosette oubliée par sa mère. D'année en année, l'enfant grandit, et sa misère aussi.

Tant que Cosette fut toute petite, elle fut le souffre-douleur des deux autres enfants ; dès qu'elle se mit à se développer un peu, c'est-à-dire avant même qu'elle eût cinq ans, elle devint la servante de la maison. On fit faire à Cosette les commissions, balayer les chambres, la cour, la rue, laver la vaisselle, porter même des fardeaux[43]. Les Thénardier se crurent d'autant plus autorisés à agir que la mère qui était toujours à Montreuil-sur-Mer commença à mal payer. Quelques mois restèrent en souffrance.

Si cette mère fût revenue à Montfermeil au bout de ces trois années, elle n'eût point reconnu son enfant. Cosette, si jolie et si fraîche à son arrivée dans cette maison, était maintenant maigre et blême. Elle avait je ne sais quelle allure inquiète. Sournoise ! disaient les Thénardier.

Dans le pays on l'appelait l'Alouette. Le peuple, qui aime les figures, s'était plu à nommer de ce nom ce petit être pas plus gros qu'un oiseau, tremblant, effarouché et frissonnant, éveillé le premier chaque matin dans la maison et dans le village, toujours dans la rue ou dans les champs avant l'aube.

Seulement la pauvre alouette ne chantait jamais.

---

43. Poids très lourds.

7

Le père Madeleine

Après avoir laissé sa petite Cosette aux Thénardier, Fantine avait continué son chemin et était arrivée à Montreuil-sur-Mer.

C'était, on se le rappelle, en 1818.

Fantine avait quitté sa province depuis une dizaine d'années. Montreuil-sur-Mer avait changé d'aspect. Tandis que Fantine descendait lentement de misère en misère, sa ville natale avait prospéré.

De temps immémorial[44], Montreuil-sur-Mer avait pour industrie spéciale l'imitation des jais[45] anglais et des verroteries noires d'Allemagne. Cette industrie avait toujours végété[46] à cause de la cherté des matières premières qui réagissait sur la main-d'œuvre. Au moment où Fantine revint à Montreuil-sur-Mer, une transformation inouïe s'était opérée dans cette production des « articles noirs ». Vers la fin de 1815, un

---

44. Très ancien.
45. Pierre noire et brillante.
46. Ne s'était pas développée.

homme, un inconnu, était venu s'établir dans la ville et avait eu l'idée de substituer, dans cette fabrication, la gomme laque à la résine et, pour les bracelets en particulier, les coulants en tôle simplement rapprochée aux coulants en tôle soudée. Ce tout petit changement avait été une révolution.

En moins de trois ans, l'auteur de ce procédé était devenu riche, ce qui est bien, et avait tout fait riche autour de lui, ce qui est mieux. Il était étranger au département. De son origine, on ne savait rien ; de ses commencements, peu de chose.

On contait qu'il était venu dans la ville avec fort peu d'argent, quelques centaines de francs tout au plus.

À son arrivée à Montreuil-sur-Mer, il n'avait que les vêtements, la tournure et le langage d'un ouvrier.

Il paraît que, le jour même où il faisait obscurément son entrée dans la petite ville de Montreuil-sur-Mer, à la tombée d'un soir de décembre, le sac au dos et le bâton d'épine à la main, un gros incendie venait d'éclater à la maison commune. Cet homme s'était jeté dans le feu, et avait sauvé, au péril de sa vie, deux enfants qui se trouvaient être ceux du capitaine de gendarmerie ; ce qui fait qu'on n'avait pas songé à lui demander son passeport. Depuis lors, on avait su son nom. Il s'appelait *le père Madeleine*.

C'était un homme d'environ cinquante ans, qui avait l'air préoccupé et qui était bon. Voilà tout ce qu'on en pouvait dire.

Grâce aux progrès rapides de cette industrie qu'il avait si admirablement remaniée, Montreuil-sur-Mer était devenu un centre d'affaires considérable.

Le père Madeleine employait tout le monde. Il n'exigeait qu'une chose : soyez honnête homme ! soyez honnête fille !

Comme nous l'avons dit, au milieu de cette activité dont il était la cause et le pivot, le père Madeleine faisait sa fortune, mais, chose assez singulière dans un simple homme de commerce, il ne paraissait point que ce fût là son principal souci. Il semblait qu'il songeât beaucoup aux autres et peu à lui. En 1820, on lui connaissait une somme de six cent trente mille francs placée à son nom chez Laffitte[47] ; mais avant de se réserver ces six cent trente mille francs il avait dépensé plus d'un million pour la ville et pour les pauvres.

En 1820, cinq ans après son arrivée à Montreuil-sur-Mer, les services qu'il avait rendus au pays étaient si éclatants, le vœu de toute la contrée fut tellement unanime, que le roi le nomma maire de la ville. Il refusa, mais le préfet résista à son refus, tous les notables vinrent le prier, le peuple en pleine rue le suppliait, l'insistance fut si vive qu'il finit par accepter.

Ce fut-là la troisième phase de son ascension. Le père Madeleine était devenu monsieur Madeleine ; monsieur Madeleine devint monsieur le maire.

Du reste, il était demeuré aussi simple que le premier jour. Il remplissait ses fonctions de maire, mais hors de là il vivait solitaire. Il parlait à peu de monde. Il se dérobait aux politesses, saluait de côté, s'esquivait[48] vite, souriait pour se dispenser de causer, donnait pour se dispenser de sourire.

Quoiqu'il ne fût plus jeune, on contait qu'il était d'une force prodigieuse. Il offrait un coup de main à qui en avait besoin, relevait un cheval, poussait à une roue embourbée, arrêtait par les cornes un taureau échappé.

Il était affable et triste. Le peuple disait : « Voilà un homme riche qui n'a pas l'air fier. Voilà un homme heureux qui n'a pas l'air content. »

---

47. Grand banquier du XIXe siècle.
48. S'en allait.

8

M. Javert

Au commencement de 1821, les journaux annoncèrent la mort de M. Myriel, évêque de Digne, « surnommé *monseigneur Bienvenu* », et trépassé en odeur de sainteté à l'âge de quatre-vingt-deux ans.

L'annonce de sa mort fut reproduite par le journal local de Montreuil-sur-Mer. M. Madeleine parut le lendemain tout en noir avec un crêpe à son chapeau.

On remarqua dans la ville ce deuil, et l'on jasa. Cela parut une lueur sur l'origine de M. Madeleine. On en conclut qu'il avait quelque alliance avec le vénérable évêque. *Il drape pour l'évêque de Digne*, dirent les salons ; cela rehaussa fort M. Madeleine, et lui donna subitement et d'emblée une certaine considération dans le monde noble de Montreuil-sur-Mer.

Peu à peu, et avec le temps, toutes les oppositions étaient tombées. Il y avait eu d'abord contre M. Madeleine, sorte de loi que subissent toujours ceux qui s'élèvent, des noirceurs et des calomnies, puis ce ne fut plus que des méchancetés, puis ce ne fut plus que des malices, puis cela s'évanouit tout à fait ; le respect devint complet, unanime, cordial, et il arriva un moment, vers 1821, où ce mot : monsieur le maire, fut prononcé à Montreuil-sur-Mer presque du même accent que ce mot : monseigneur l'évêque, était prononcé à Digne en 1815.

Un seul homme, dans la ville et dans l'arrondissement, se déroba absolument à cette contagion.

Souvent, quand M. Madeleine passait dans une rue, calme, affectueux, entouré des bénédictions de tous, il arrivait qu'un homme de haute taille vêtu d'une redingote gris de fer, armé d'une grosse canne et coiffé d'un chapeau rabattu, se retournait brusquement derrière lui, et le suivait des yeux jusqu'à ce qu'il eût disparu, croisant les bras, secouant lentement la tête, et haussant sa lèvre supérieure avec sa lèvre inférieure jusqu'à son nez, sorte de grimace significative qui pourrait se traduire par : « Mais qu'est-ce que c'est que cet homme-là ? Pour sûr je l'ai vu quelque part. En tout cas, je ne suis toujours pas sa dupe[49]. »

Ce personnage, grave d'une gravité presque menaçante, se nommait Javert, et il était de la police.

Il remplissait à Montreuil-sur-Mer les fonctions d'inspecteur. Il n'avait pas vu les commencements de Madeleine. Quand Javert était arrivé à Montreuil-sur-Mer, la fortune du grand manufacturier était déjà faite, et le père Madeleine était devenu monsieur Madeleine. Il avait dans sa jeunesse été employé dans les chiourmes du Midi.

Javert était comme un œil toujours fixé sur M. Madeleine. Œil plein de soupçon et de conjectures. M. Madeleine avait fini par s'en apercevoir, mais il sembla que cela fût insignifiant pour lui. Il ne fit pas même une question à

49. Il ne m'a pas encore berné, trompé.

Javert, il ne le cherchait ni ne l'évitait, il portait, sans paraî-tre y faire attention, ce regard gênant et presque pesant. Il traitait Javert comme tout le monde, avec aisance et bonté.

Javert était évidemment quelque peu déconcerté par le complet naturel et la tranquillité de M. Madeleine.

Un jour pourtant son étrange manière d'être parut faire impression sur M. Madeleine. Voici à quelle occasion.

9

Le père Fauchelevent

M. Madeleine passait un matin dans une ruelle non pavée de Montreuil-sur-Mer. Il entendit un bruit et vit un groupe à quelque distance. Il y alla. Un vieux homme, nommé le père Fauchelevent, venait de tomber sous sa charrette dont le cheval s'était abattu.

Le cheval avait les deux cuisses cassées et ne pouvait se relever. Le vieillard était engagé entre les roues. La chute avait été tellement malheureuse que toute la voiture pesait sur sa poitrine. Le père Fauchelevent poussait des râles lamentables. On avait essayé de le tirer, mais en vain. Il était impossible de le dégager autrement qu'en soulevant la voiture par-dessous.

Javert, qui était survenu au moment de l'accident, avait envoyé chercher un cric.

M. Madeleine arriva. On s'écarta avec respect.

— À l'aide ! criait le vieux Fauchelevent. Qui est-ce qui est un bon enfant pour sauver le vieux ?

M. Madeleine se tourna vers les assistants :

— A-t-on un cric ?

— On en est allé quérir un, répondit un paysan.

— Dans combien de temps l'aura-t-on ?

— On est allé au plus près, au lieu Flachot, où il y a un maréchal ; mais c'est égal, il faudra bien un bon quart d'heure.

— Un quart d'heure ! s'écria Madeleine.

Il avait plu la veille, le sol était détrempé, la charrette s'enfonçait dans la terre à chaque instant et comprimait de plus en plus la poitrine du vieux charretier. Il était évident qu'avant cinq minutes il aurait les côtes brisées.

— Il est impossible d'attendre un quart d'heure, dit Madeleine aux paysans qui regardaient.

— Il faut bien !

— Écoutez, reprit Madeleine, il y a encore assez de place sous la voiture pour qu'un homme s'y glisse et la soulève avec son dos. Rien qu'une demi-minute, et l'on tirera le pauvre homme. Y a-t-il quelqu'un qui ait des reins et du cœur ? Cinq louis d'or à gagner !

Personne ne bougea dans le groupe.

— Ce n'est pas la bonne volonté qui leur manque, dit une voix.

M. Madeleine se retourna, et reconnut Javert. Il ne l'avait pas aperçu en arrivant.

Javert continua :

— C'est la force. Il faudrait être un terrible homme pour faire la chose de lever une voiture comme cela sur son dos.

Puis, regardant fixement M. Madeleine, il poursuivit en appuyant chacun des mots qu'il prononçait :

— Monsieur Madeleine, je n'ai jamais connu qu'un seul homme capable de faire ce que vous demandez là.

Madeleine tressaillit.

Javert ajouta avec un air d'indifférence, mais sans quitter des yeux Madeleine :

— C'était un forçat. Du bagne de Toulon.

Madeleine devint pâle.

Cependant la charrette continuait à s'enfoncer lentement.

— Ah ! voilà que ça m'écrase ! cria le vieillard.

Madeleine leva la tête, rencontra l'œil de faucon de Javert toujours attaché sur lui, regarda les paysans immobiles, et sourit tristement. Puis, sans dire une parole, il tomba à genoux, et avant même que la foule eût le temps de jeter un cri, il était sous la voiture.

Il y eut un affreux moment d'attente et de silence.

Les assistants haletaient.

Tout à coup on vit l'énorme masse s'ébranler, la charrette se soulevait lentement. On entendit une voix étouffée qui criait :

— Dépêchez-vous ! aidez !

C'était Madeleine qui venait de faire un dernier effort.

Ils se précipitèrent. Le dévouement d'un seul avait donné de la force et du courage à tous. La charrette fut enlevée par vingt bras. Le vieux Fauchelevent était sauvé.

Madeleine se releva. Il était blême, quoique ruisselant de sueur. Ses habits étaient déchirés et couverts de boue. Le vieillard lui baisait les genoux et l'appelait le bon Dieu. Lui, il avait sur le visage je ne sais quelle expression de souffrance heureuse et céleste, et il fixait son œil tranquille sur Javert qui le regardait toujours.

Fauchelevent s'était démis la rotule dans sa chute. Le père Madeleine le fit transporter dans une infirmerie qu'il avait établie pour ses ouvriers dans le bâtiment même de sa fabrique et qui était desservie par deux sœurs de charité. Fauchelevent guérit, mais son genou resta ankylosé[50]. M. Madeleine, par les recommandations des sœurs et de son curé, fit placer le bonhomme comme jardinier dans un couvent de femmes du quartier Saint-Antoine à Paris.

---

50. Bloqué.

10

Fantine est congédiée

Lorsque Fantine revint à Montreuil-sur-Mer, personne ne se souvenait plus d'elle. Heureusement la porte de la fabrique de M. Madeleine était comme un visage ami. Elle s'y présenta, et fut admise dans l'atelier des femmes. Le métier était tout nouveau pour Fantine, elle n'y pouvait être bien adroite, elle ne tirait donc de sa journée de travail que peu de chose, mais enfin cela suffisait, le problème était résolu, elle gagnait sa vie.

Quand Fantine vit qu'elle vivait, elle eut un moment de joie. Vivre honnêtement de son travail, quelle grâce du ciel ! Le goût du travail lui revint vraiment. Elle acheta un miroir, se réjouit d'y regarder sa jeunesse, ses beaux cheveux et ses belles dents, oublia beaucoup de choses, ne songea plus qu'à sa Cosette et à l'avenir possible, et fut presque heureuse. Elle loua une petite chambre et la meubla à crédit sur son travail futur.

Ne pouvant pas dire qu'elle était mariée, elle s'était bien gardée, comme nous l'avons déjà fait entrevoir, de parler de sa petite fille.

En ces commencements, on l'a vu, elle payait exactement les Thénardier. Comme elle ne savait que signer, elle était obligée de leur écrire par un écrivain public.

Elle écrivait souvent. Cela fut remarqué. On commença à dire tout bas dans l'atelier des femmes que Fantine « écrivait des lettres » et qu'« elle avait des allures ».

On observa donc Fantine.

On constata qu'elle écrivait, au moins deux fois par mois, toujours à la même adresse, et qu'elle affranchissait la lettre. On parvint à se procurer l'adresse : *Monsieur Thénardier, aubergiste, à Montfermeil.* On fit jaser au cabaret l'écrivain public, vieux bonhomme qui ne pouvait pas emplir son estomac de vin rouge sans vider sa poche aux secrets. Bref, on sut que Fantine avait un enfant.

Fantine était depuis plus d'un an à la fabrique, lorsqu'un matin la surveillante de l'atelier lui remit, de la part de M. le maire, cinquante francs, en lui disant qu'elle ne faisait plus partie de l'atelier et en l'engageant, de la part de M. le maire, à quitter le pays.

Fantine fut atterrée. Elle ne pouvait s'en aller du pays, elle devait son loyer et ses meubles. Cinquante francs ne suffisaient pas pour acquitter cette dette. Elle balbutia quelques mots suppliants. La surveillante lui signifia qu'elle eût à sortir sur-le-champ de l'atelier. Fantine n'était du reste qu'une ouvrière médiocre. Accablée de honte plus encore que de désespoir, elle quitta l'atelier et rentra dans sa chambre. Sa faute était donc maintenant connue de tous !

Elle ne se sentit plus la force de dire un mot. On lui conseilla de voir M. le maire ; elle n'osa pas. M. le maire lui donnait cinquante francs, parce qu'il était bon, et la chassait, parce qu'il était juste. Elle plia sous cet arrêt.

Du reste, M. Madeleine n'avait rien su de tout cela. M. Madeleine avait pour habitude de n'entrer presque jamais dans l'atelier des femmes. Il avait mis à la tête de cet atelier une vieille fille, que le curé lui avait donnée, et il avait toute confiance dans cette surveillance, personne vraiment respectable, ferme, équitable, intègre[51], remplie de la charité qui consiste à donner, mais n'ayant pas au même degré la charité qui consiste à comprendre et à pardonner. M. Madeleine se remettait de tout sur elle. Les meilleurs hommes sont souvent forcés de déléguer[52] leur autorité. C'est dans cette pleine puissance et avec la conviction qu'elle faisait bien, que la surveillante avait instruit le procès, jugé, condamné et exécuté Fantine.

Quant aux cinquante francs, elle les avait donnés sur une somme que M. Madeleine lui confiait pour aumônes et secours aux ouvrières et dont elle ne rendait pas compte.

Fantine s'offrit comme servante dans le pays ; elle alla d'une maison à l'autre. Personne ne voulut d'elle. Elle n'avait pu quitter la ville. Le marchand fripier auquel elle devait ses meubles, quels meubles ! lui avait dit : « Si vous vous en allez, je vous fais arrêter comme voleuse. » Elle partagea les cinquante francs entre le propriétaire et le fripier, rendit au marchand les trois quarts de son mobilier, ne garda que le nécessaire, et se trouva sans travail, sans état, n'ayant plus que son lit, et devant encore environ cent francs.

Elle se mit à coudre de grosses chemises pour les soldats de la garnison, et gagnait douze sous par jour. Sa fille lui en coûtait dix. C'est en ce moment qu'elle commença à mal payer les Thénardier.

---

51. Honnête.
52. Confier des tâches à d'autres gens.

L'excès de travail fatiguait Fantine, et la petite toux sèche qu'elle avait augmenta. Elle disait quelquefois à sa voisine :

« Tâtez donc comme mes mains sont chaudes. »

Elle avait été congédiée vers la fin de l'hiver ; l'été se passa, mais l'hiver revint. Jours courts, moins de travail. L'hiver, point de chaleur, le soleil a l'air d'un pauvre. L'affreuse saison ! L'hiver change en pierre l'eau du ciel et le cœur de l'homme. Ses créanciers[53] la harcelaient.

Elle se sentait traquée et il se développait en elle quelque chose de la bête farouche. Vers le même temps, le Thénardier lui écrivit que décidément il avait attendu avec beaucoup trop de bonté, et qu'il lui fallait cent francs tout de suite ; sinon qu'il mettrait à la porte la petite Cosette, et qu'elle deviendrait ce qu'elle pourrait, et qu'elle crèverait, si elle voulait. « Cent francs, songea Fantine. Mais où y a-t-il un état à gagner cent sous par jour ? »

— Allons ! dit-elle, vendons le reste.

L'infortunée se fit fille publique[54].

_____

53. Ceux à qui l'on doit de l'argent.
54. Prostituée.

11

L'arrestation de Fantine

Huit ou dix mois après ce qui a été raconté, vers les premiers jours de janvier 1823, un soir qu'il avait neigé, un élégant se divertissait à harceler une créature qui rôdait en robe de bal et toute décolletée avec des fleurs sur la tête devant la vitre du café des officiers.

La femme, triste spectre[55] paré, ne lui répondait pas, ne le regardait même pas. Ce peu d'effet piqua sans doute l'oisif qui, profitant d'un moment où elle se retournait, s'avança derrière elle à pas de loup et en étouffant son rire, se baissa, prit sur le pavé une poignée de neige et la lui plongea brusquement dans le dos entre ses deux épaules nues. La fille poussa un rugissement, se tourna, bondit comme une panthère, et se rua sur l'homme, lui enfonçant ses ongles dans le visage, avec d'effroyables paroles. C'était la Fantine.

Au bruit que cela fit, les officiers sortirent en foule du café, les passants s'amassèrent, et il se forma un grand

---

55. Sorte de fantôme.

60

cercle riant, huant et applaudissant, autour de ce tourbillon composé de deux êtres où l'on avait peine à reconnaître un homme et une femme, l'homme se débattant, son chapeau à terre, la femme frappant des pieds et des poings.

Tout à coup un homme de haute taille sortit vivement de la foule, saisit la femme à son corsage de satin couvert de boue, et lui dit :

— Suis-moi !

La femme leva la tête ; sa voix furieuse s'éteignit subitement. Ses yeux étaient vitreux, de livide elle était devenue pâle, et elle tremblait d'un tremblement de terreur. Elle avait reconnu Javert.

L'élégant avait profité de l'incident pour s'esquiver.

Javert écarta les assistants, rompit le cercle et se mit à marcher à grands pas vers le bureau de police qui est à l'extrémité de la place, traînant après lui la misérable.

Arrivé au bureau de police qui était une salle basse chauffée par un poêle et gardée par un poste, avec une porte vitrée et grillée sur la rue, Javert ouvrit la porte, entra avec la Fantine, et referma la porte derrière lui, au grand désappointement[56] des curieux.

En entrant, la Fantine alla tomber dans un coin, immobile et muette, accroupie comme une chienne qui a peur.

Le sergent du poste apporta une chandelle allumée sur une table. Javert s'assit, tira de sa poche une feuille de papier timbrée et se mit à écrire.

Quand il eut fini, il signa, plia le papier et dit au sergent du poste, en le lui remettant :

— Prenez trois hommes, et menez cette fille au bloc.

Puis se tournant vers la Fantine :

— Tu en as pour six mois.

---

56. Déception.

Et Javert tourna le dos.

Les soldats la saisirent par le bras.

Depuis quelques minutes, un homme était entré sans qu'on eût pris garde à lui. Au moment où les soldats mirent la main sur la malheureuse, qui ne voulait pas se lever, il fit un pas, sortit de l'ombre, et dit :

— Un instant, s'il vous plaît !

Javert leva les yeux et reconnut M. Madeleine. Il ôta son chapeau, et saluant avec une sorte de gaucherie[57] fâchée :

— Pardon, monsieur le maire...

Ce mot, monsieur le maire, fit sur la Fantine un effet étrange. Elle se dressa debout tout d'une pièce comme un spectre qui sort de terre, repoussa les soldats des deux bras, marcha droit à M. Madeleine avant qu'on eût pu la retenir, et le regardant fixement, l'air égaré, elle cria :

— Ah ! c'est donc toi qui es monsieur le maire !

Puis elle éclata de rire et lui cracha au visage.

M. Madeleine s'essuya le visage et dit :

— Inspecteur Javert, mettez cette femme en liberté.

— Monsieur le maire, cela ne se peut pas.

— Comment ? dit M. Madeleine.

— Cette malheureuse a insulté un bourgeois.

— Inspecteur Javert, repartit M. Madeleine avec un accent conciliant et calme, écoutez. Vous êtes un honnête homme, et je ne fais nulle difficulté de m'expliquer avec vous. Voici le vrai. Je passais sur la place comme vous emmeniez cette femme, il y avait encore des groupes, je me suis informé, j'ai tout su, c'est le bourgeois qui a eu tort et qui, en bonne police, eût dû être arrêté.

— Mais, monsieur le maire...

---

57. Maladresse.

— Je vous rappelle, à vous, l'article quatre-vingt-un de la loi du 13 décembre 1799 sur la détention arbitraire[58].

— Monsieur le maire, permettez...

— Plus un mot. Sortez, dit M. Madeleine.

Javert reçut le coup, debout, de face, et en pleine poitrine comme un soldat russe. Il salua jusqu'à terre M. le maire, et sortit.

C'en était plus que la pauvre Fantine n'en pouvait supporter. Ses jarrets plièrent, elle se mit à genoux devant M. Madeleine, et, avant qu'il eût pu l'en empêcher, il sentit qu'elle lui prenait la main et que ses lèvres s'y posaient. Puis elle s'évanouit.

M. Madeleine fit transporter la Fantine à cette infirmerie qu'il avait dans sa propre maison. Il la confia aux sœurs qui la mirent au lit. Une fièvre ardente était survenue. Elle passa une partie de la nuit à délirer et à parler haut. Cependant elle finit par s'endormir.

Le lendemain vers midi Fantine se réveilla, elle entendit une respiration tout près de son lit, elle écarta son rideau, et vit M. Madeleine debout qui regardait quelque chose au-dessus de sa tête. Ce regard était plein de pitié et d'angoisse et suppliait. Elle en suivit la direction et vit qu'il s'adressait à un crucifix cloué au mur.

Enfin elle lui dit timidement :

— Que faites-vous donc là ?

M. Madeleine était à cette place depuis une heure.

Il attendait que Fantine se réveillât. Il lui prit la main, lui tâta le pouls, et répondit :

— Comment êtes-vous ?

— Bien, j'ai dormi, dit-elle. Je crois que je vais mieux. Ce ne sera rien.

---

58. Sans raison valable.

M. Madeleine avait passé la nuit et la matinée à s'informer. Il savait tout maintenant. Il connaissait dans tous ses poignants détails l'histoire de Fantine.

M. Madeleine se hâta d'écrire aux Thénardier. Fantine leur devait cent vingt francs. Il leur envoya trois cents francs, en leur disant de se payer sur cette somme et d'amener tout de suite l'enfant à Montreuil-sur-Mer où sa mère malade la réclamait.

Ceci éblouit le Thénardier.

— Diable ! dit-il à sa femme, ne lâchons pas l'enfant. Voilà que cette mauviette va devenir une vache à lait. Je devine. Quelque jocrisse[59] se sera amouraché de la mère.

Il riposta par un mémoire de cinq cents et quelques francs fort bien fait. M. Madeleine envoya tout de suite trois cents autres francs et écrivit : « Dépêchez-vous d'amener Cosette. »

— Christi ! dit le Thénardier, ne lâchons pas l'enfant.

Cependant Fantine ne se rétablissait point. Elle était toujours à l'infirmerie.

Les sœurs n'avaient d'abord reçu et soigné « cette fille » qu'avec répugnance. Mais, en peu de jours, Fantine les avait désarmées. Elle avait toutes sortes de paroles humbles et douces, et la mère qui était en elle attendrissait.

M. Madeleine l'allait voir deux fois par jour, et chaque fois elle lui demandait :

— Verrai-je bientôt ma Cosette ?

Il lui répondait :

— Peut-être demain matin. D'un moment à l'autre elle arrivera, je l'attends.

_____

59. Imbécile, benêt.

Et le visage pâle de la mère rayonnait.

L'état de Fantine semblait s'aggraver de semaine en semaine. Cette poignée de neige appliquée à nu sur la peau entre les deux omoplates avait déterminé une suppression subite de transpiration à la suite de laquelle la maladie qu'elle couvait depuis plusieurs années finit par se déclarer violemment. Le médecin ausculta la Fantine et hocha la tête.

M. Madeleine dit au médecin :

— Eh bien ?

— N'a-t-elle pas un enfant qu'elle désire voir ? dit le médecin.

— Oui.

— Eh bien, hâtez-vous de le faire venir.

M. Madeleine eut un tressaillement.

Fantine lui demanda :

— Qu'a dit le médecin ?

— Il a dit de faire venir bien vite votre enfant. Que cela vous rendra la santé.

— Oh ! reprit-elle, il a raison ! Mais qu'est-ce qu'ils ont donc ces Thénardier à me garder ma Cosette !

Le Thénardier cependant ne « lâchait pas l'enfant » et donnait cent mauvaises raisons. Cosette était un peu souffrante pour se mettre en route l'hiver. Et puis il y avait un reste de petites dettes criardes[60] dans le pays dont il rassemblait les factures, etc.

— J'enverrai quelqu'un chercher Cosette, dit le père Madeleine. S'il le faut, j'irai moi-même.

Il écrivit sous la dictée de Fantine cette lettre qu'il lui fit signer :

---

60. Dont on réclame les paiements.

Monsieur Thénardier,
Vous remettrez Cosette à la personne.
On vous payera toutes les petites choses.
J'ai l'honneur de vous saluer avec considération.

FANTINE

Sur ces entrefaites, il survint un grave incident.

12

Tempête sous un crâne

Un matin, M. Madeleine était dans son cabinet, occupé à régler d'avance quelques affaires pressantes de la mairie, lorsqu'on vint lui dire que l'inspecteur de police Javert demandait à lui parler. En entendant prononcer ce nom, M. Madeleine ne put se défendre d'une impression désagréable.

— Faites entrer, dit-il.

Javert entra.

M. Madeleine était resté assis près de la cheminée, une plume à la main, l'œil sur un dossier qu'il feuilletait et qu'il annotait.

Javert salua respectueusement M. le maire qui lui tournait le dos, fit deux ou trois pas dans le cabinet, et s'arrêta sans rompre le silence.

Enfin M. le maire posa sa plume et se tourna à demi :

— Eh bien ! qu'est-ce ? qu'y a-t-il, Javert ?

— Il y a, monsieur le maire, qu'un acte coupable a été commis.

— Quel acte ?

— Un agent inférieur de l'autorité a manqué de respect à un magistrat de la façon la plus grave. Je viens, comme c'est mon devoir, porter le fait à votre connaissance.

— Quel est cet agent ? demanda M. Madeleine.

— Moi, dit Javert.

— Et quel est le magistrat qui aurait à se plaindre de l'agent ?

— Vous, monsieur le maire.

M. Madeleine se dressa sur son fauteuil.

— Ah ça ! pourquoi ? s'écria-t-il. Quel est ce galimatias[61] ? qu'est-ce que cela veut dire ? où y a-t-il un acte coupable commis contre moi par vous ?

— Monsieur le maire, il y a six semaines, à la suite de cette scène pour cette fille, j'étais furieux, je vous ai dénoncé. À la préfecture de police de Paris.

M. Madeleine, qui ne riait pas beaucoup plus souvent que Javert, se mit à rire.

— Comme maire ayant empiété sur la police ?

— Comme ancien forçat.

Le maire devint livide.

Javert, qui n'avait pas levé les yeux, continua :

— Je le croyais. Depuis longtemps j'avais des idées. Une ressemblance, votre force des reins, l'aventure du vieux Fauchelevent, votre adresse au tir, est-ce que je sais, moi ? des bêtises ! mais enfin je vous prenais pour un nommé Jean Valjean.

— Un nommé ?... Comment dites-vous ce nom-là ?

— Jean Valjean. C'est un forçat que j'avais vu il y a vingt ans quand j'étais adjudant-garde-chiourme à Toulon. En sortant du bagne, ce Jean Valjean avait, à ce qu'il paraît,

---

61. Propos dépourvus de sens.

volé chez un évêque. Depuis huit ans il s'était dérobé, on ne sait comment, et on le cherchait. Moi je m'étais figuré... Enfin j'ai fait cette chose ! La colère m'a décidé, je vous ai dénoncé à la préfecture.

M. Madeleine, qui avait ressaisi le dossier depuis quelques instants, reprit avec un accent de parfaite indifférence :

— Et que vous a-t-on répondu ?

— Que j'étais fou.

— Eh bien ?

— Eh bien, on avait raison.

— C'est heureux que vous le reconnaissiez.

— Il faut bien, puisque le véritable Jean Valjean est trouvé.

La feuille que tenait M. Madeleine lui échappa des mains, il leva la tête, regarda fixement Javert, et dit avec un accent inexprimable :

— Ah !

Javert poursuivit :

— Voilà ce que c'est, monsieur le maire. Il paraît qu'il y avait dans le pays, du côté d'Ailly-le-Haut-Clocher, une espèce de bonhomme qu'on appelait le père Champmathieu. Dernièrement, cet automne, le père Champmathieu a été arrêté pour un vol de pommes à cidre. Il avait encore la branche de pommier à la main. On coffre le drôle. Mais la geôle[62] étant en mauvais état, M. le juge d'instruction trouve à propos de faire transférer Champmathieu à Arras. Dans cette prison d'Arras, il y a un ancien forçat nommé Brevet qui est détenu pour je ne sais quoi et qu'on a fait guichetier[63] de chambrée parce qu'il se conduit bien. Monsieur

---

62. Prison.
63. Surveillant d'un groupe de prisonniers.

le maire, Champmathieu n'est pas plus tôt débarqué que voilà Brevet qui s'écrie : « Eh, mais ! je connais cet homme-là. C'est un fagot. Vous êtes Jean Valjean ! » Le Champmathieu nie. Parbleu ! vous comprenez. On approfondit. On me fouille cette aventure-là[64]. On s'informe à Toulon. Avec Brevet, il n'y a plus que deux forçats qui aient vu Jean Valjean. Ce sont les condamnés à vie Cochepaille et Chenildieu. On les extrait du bagne et on les fait venir. On les confronte au prétendu Champmathieu. Ils n'hésitent pas. Pour eux comme pour Brevet, c'est Jean Valjean. C'est en ce moment-là que j'envoyais ma dénonciation à la préfecture de Paris. On me répond que je perds l'esprit et que Jean Valjean est à Arras au pouvoir de la justice. Vous concevez si cela m'étonne, moi qui croyais tenir ici ce même Jean Valjean ! J'écris à M. le juge d'instruction. Il me fait venir, on m'amène le Champmathieu...

— Eh bien ? interrompit M. Madeleine.

Javert répondit avec son visage incorruptible et triste :

— Monsieur le maire, la vérité est la vérité. J'en suis fâché, mais c'est cet homme-là qui est Jean Valjean. Moi aussi je l'ai reconnu.

M. Madeleine reprit d'une voix très basse :

— Vous êtes sûr ?

Javert se mit à rire de ce rire douloureux qui échappe à une conviction profonde :

— Oh ! sûr ! Et même, maintenant que je vois le vrai Jean Valjean, je ne comprends pas comment j'ai pu croire autre chose. Je vous demande pardon, monsieur le maire.

En adressant cette parole suppliante et grave, cet homme hautain était à son insu plein de simplicité et de dignité.

---

64. On fait l'enquête que j'ai demandée.

M. Madeleine ne répondit à sa prière que par cette question brusque :

— Et que dit cet homme ?

— Lui, il n'a pas l'air de comprendre, il dit : « Je suis Champmathieu, je ne sors pas de là ! » Oh ! le drôle est habile. Mais c'est égal, les preuves sont là. Il est reconnu par quatre personnes, le vieux coquin sera condamné. C'est porté aux assises[65] à Arras. Je vais y aller pour témoigner. Je suis cité.

M. Madeleine s'était mis à son bureau, avait ressaisi son dossier. Il se tourna vers Javert :

— Assez, Javert. Au fait, tous ces détails m'intéressent fort peu. Nous perdons notre temps. N'allez-vous pas être absent ? ne m'avez-vous pas dit que vous alliez à Arras dans huit ou dix jours ?...

— Mais je croyais avoir dit à M. le maire que cela se jugeait demain et que je partais par la diligence[66] cette nuit. L'arrêt sera prononcé au plus tard demain dans la nuit. Mais je n'attendrai pas l'arrêt, qui ne peut manquer. Sitôt ma déposition faite, je reviendrai ici.

— C'est bon, dit M. Madeleine.

Et il lui tendit la main.

Javert recula et dit d'un ton farouche :

— Pardon, monsieur le maire, mais cela ne doit pas être. Un maire ne donne pas la main à un mouchard[67]. Du moment où j'ai mésusé[68] de la police, je ne suis plus qu'un mouchard.

Puis il salua profondément, et se dirigea vers la porte.

---

65. Tribunal qui juge les crimes.
66. Voiture.
67. Dénonciateur.
68. Faire un mauvais usage de quelque chose.

Là il se retourna, et, les yeux toujours baissés :

— Monsieur le maire, dit-il, je continuerai le service jusqu'à ce que je sois remplacé, et il sortit.

Dans l'après-midi qui suivit la visite de Javert, M. Madeleine alla voir la Fantine comme d'habitude. Celle-ci l'attendait comme un rayon de soleil.

Avant de pénétrer près de Fantine, il fit demander la sœur Simplice.

Les deux religieuses qui faisaient le service de l'infirmerie s'appelaient sœur Perpétue et sœur Simplice.

La pieuse fille avait pris en affection Fantine, y sentant probablement de la vertu latente[69], et s'était dévouée à la soigner presque exclusivement.

M. Madeleine emmena à part la sœur Simplice et lui recommanda Fantine avec un accent singulier dont la sœur se souvint plus tard.

En quittant la sœur, il s'approcha de Fantine. Elle avait ce jour-là beaucoup de fièvre. Dès qu'elle vit M. Madeleine, elle lui demanda :

— Et Cosette ?

Il répondit en souriant :

— Bientôt.

M. Madeleine fut avec Fantine comme à l'ordinaire. Seulement il resta une heure au lieu d'une demi-heure, au grand contentement de Fantine. On remarqua qu'il y eut un moment où son visage devint très sombre. Mais cela s'expliqua quand on sut que le médecin s'était penché à son oreille et lui avait dit : « Elle baisse beaucoup. »

Puis il rentra à la mairie et le garçon de bureau le vit examiner avec attention une carte routière de France qui était suspendue dans son cabinet.

---

69. Cachée.

Il sentit vaguement qu'il faudrait peut-être aller à Arras, et, sans être le moins du monde décidé à ce voyage, il se dit qu'à l'abri de tout soupçon comme il l'était, il n'y avait point d'inconvénient à être témoin de ce qui se passerait, et il retint un tilbury[70] à Scaufflaire, loueur de chevaux et de cabriolets, afin d'être préparé à tout événement.

Il dîna avec assez d'appétit.

Rentré dans sa chambre il se recueillit. Un moment après il souffla la lumière. Elle le gênait. Alors il posa ses coudes sur la table, appuya la tête sur sa main, et se mit à songer dans les ténèbres.

Sa tête était brûlante. Il alla à la fenêtre et l'ouvrit toute grande. Il n'y avait pas d'étoiles au ciel. Il revint s'asseoir près de la table.

La première heure s'écoula ainsi.

Peu à peu cependant des linéaments[71] vagues commencèrent à se former et à se fixer dans sa méditation. Il prit ses livres, les vérifia et les mit en ordre. Il écrivit une lettre qu'il cacheta et sur l'enveloppe de laquelle on aurait pu lire :

À *monsieur Laffitte, banquier, rue d'Artois, à Paris*. La lettre à M. Laffitte terminée, il la mit dans sa poche.

Il se leva, il se remit à marcher.

Quoi qu'il fît, il retombait toujours sur ce poignant dilemme qui était au fond de sa rêverie : Faut-il se dénoncer ? Faut-il se taire ? Il ne réussissait à rien voir de distinct.

Trois heures du matin venaient de sonner, et il y avait cinq heures qu'il marchait ainsi, presque sans interruption, lorsqu'il se laissa tomber sur sa chaise et s'y endormit.

---

70. Voiture à cheval à deux places.
71. Idées encore vagues.

13

Un voyageur pressé

Quand il se réveilla, il était glacé. Un vent qui était froid comme le vent du matin faisait tourner dans leurs gonds les châssis de la croisée restée ouverte. Le feu s'était éteint. Il était encore nuit noire. En ce moment on frappa un petit coup à la porte de sa chambre.

Il frissonna de la tête aux pieds, et cria d'une voix terrible :

— Qui est là ?

Quelqu'un répondit :

— Moi, monsieur le maire.

Il reconnut la voix de la vieille femme, sa portière.

— Eh bien, reprit-il, qu'est-ce que c'est ?

— Est-ce que M. le maire n'a pas fait demander un tilbury ? Le cocher dit qu'il vient chercher M. le maire.

— Quel cocher ?

— Le cocher de M. Scaufflaire.

— M. Scaufflaire ? Ah oui !

Ce nom le fit tressaillir comme si un éclair lui eût passé devant la face.

— Monsieur le maire, que faut-il que je réponde ?

— Dites que c'est bien, et que je descends.

Il était près de huit heures du soir quand la carriole entra sous la porte cochère de l'hôtel de la Poste à Arras. L'homme en descendit, et conduisit lui-même le petit cheval blanc à l'écurie ; puis il poussa la porte d'une salle de billard qui était au rez-de-chaussée, s'y assit, et s'accouda sur une table.

La maîtresse de l'hôtel entra.

— Monsieur couche-t-il ? monsieur soupe-t-il ?

Il fit un signe de tête négatif.

— Le garçon d'écurie dit que le cheval de monsieur est bien fatigué !

Ici il rompit le silence.

— Est-ce que le cheval ne pourra pas repartir demain matin ?

— Oh ! monsieur ! il lui faut au moins deux jours de repos.

Il demanda :

— N'est-ce pas ici le bureau de la poste ?

— Oui, monsieur.

L'hôtesse le mena à ce bureau ; il montra son passeport et s'informa s'il y avait moyen de revenir cette nuit même à Montreuil-sur-Mer par la malle ; la place à côté du courrier était justement vacante ; il la retint et la paya.

— Monsieur, dit le buraliste, ne manquez pas d'être ici pour partir à une heure précise du matin.

Cela fait, il sortit de l'hôtel et se mit à marcher dans la ville.

Il ne connaissait pas Arras, les rues étaient obscures, et il allait au hasard. Il se retrouva dans un dédale de rues étroites où il se perdit. Un bourgeois cheminait avec un falot[72]. Après quelque hésitation, il prit le parti de s'adresser à ce bourgeois, non sans avoir d'abord regardé devant et derrière lui, comme s'il craignait que quelqu'un n'entendît la question qu'il allait faire.

— Monsieur, dit-il, le palais de justice, s'il vous plaît ?

— Vous n'êtes pas de la ville, monsieur, répondit le bourgeois qui était un assez vieux homme, eh bien, suivez-moi. Je vais précisément du côté du palais de justice.

Cependant, comme ils arrivaient sur la grande place, le bourgeois lui montra quatre longues fenêtres éclairées sur la façade d'un vaste bâtiment ténébreux.

— Voyez-vous ces quatre fenêtres ? c'est la cour d'assises. Tenez, monsieur, voici la porte. Où est le factionnaire[73]. Vous n'aurez qu'à monter le grand escalier.

Il se conforma aux indications du bourgeois, et, quelques minutes après, il était dans une salle où il y avait beaucoup de monde.

Personne dans cette foule ne fit attention à lui. Tous les regards convergeaient vers un point unique, un banc de bois adossé à une petite porte, le long de la muraille, à gauche du président. Sur ce banc, que plusieurs chandelles éclairaient, il y avait un homme entre deux gendarmes. Ses yeux allèrent là naturellement, comme s'ils avaient su d'avance où était cette figure.

Il crut se voir lui-même, vieilli, non pas sans doute absolument semblable de visage, mais tout pareil d'attitude et d'aspect, avec ces cheveux hérissés, avec cette blouse, tel qu'il était le jour où il entrait à Digne, plein de haine et cachant dans son âme ce hideux trésor de pensées affreu-

---

72. Lanterne.
73. Gardien.

ses qu'il avait mis dix-neuf ans à ramasser sur le pavé du bagne.

Une chaise était derrière lui ; il s'y laissa tomber, terrifié de l'idée qu'on pouvait le voir. Quand il fut assis, il profita d'une pile de cartons qui était sur le bureau des juges pour dérober son visage à toute la salle. Il pouvait maintenant voir sans être vu.

14

L'étonnement de Champmathieu

L'instant de clore les débats était venu. Le président fit lever l'accusé et lui adressa la question d'usage :

— Avez-vous quelque chose à ajouter à votre défense ?

L'homme, debout, roulant dans ses mains un affreux bonnet qu'il avait, fit le mouvement de quelqu'un qui se réveille, promena ses yeux autour de lui, regarda le public, les gendarmes, son avocat, les jurés, la cour, posa son poing monstrueux sur le rebord de la boiserie devant son banc, et se mit à parler.

— J'ai à dire ça. Que j'ai été charron à Paris, même que c'était chez M. Baloup. Voilà. Je dis vrai. Vous n'avez qu'à demander. Ah, bien oui, demander ! que je suis bête ! Paris, c'est un gouffre. Qui est-ce qui connaît le père Champmathieu ? Pourtant je vous dis M. Baloup. Voyez chez M. Baloup. Après ça, je ne sais pas ce qu'on me veut.

L'homme se tut, et resta debout.

Le président, homme attentif et bienveillant, éleva la voix et se tournant vers l'accusé, il l'engagea à écouter ce qu'il allait lui dire et ajouta :

— Vous êtes dans une situation où il faut réfléchir. Les présomptions les plus graves pèsent sur vous et peuvent entraîner des conséquences capitales. Accusé, dans votre intérêt, expliquez-vous clairement sur ces deux faits : Premièrement, avez-vous, oui ou non, franchi le mur du clos Pierron, cassé la branche et volé les pommes, c'est-à-dire, commis le crime de vol avec escalade ? Deuxièmement, oui ou non, êtes-vous le forçat libéré Jean Valjean ?

L'accusé secoua la tête.

— Je n'ai rien volé. Je suis un homme qui ne mange pas tous les jours. Je venais d'Ailly, je marchais dans le pays, j'ai trouvé une branche cassée par terre où il y avait des pommes, j'ai ramassé la branche sans savoir qu'elle me ferait arriver de la peine. Il y a trois mois que je suis en prison et qu'on me trimballe. Je n'ai pas volé, j'ai ramassé par terre des choses qu'il y avait. Vous dites Jean Valjean, Jean Mathieu ! Je ne connais pas ces personnages-là. J'ai travaillé chez M. Baloup, boulevard de l'Hôpital. Je m'appelle Champmathieu. Vous m'ennuyez avec vos bêtises à la fin ! Pourquoi donc est-ce que le monde est après moi comme des acharnés ?

L'avocat général s'adressa au président :

— Monsieur le président, en présence des dénégations[74] confuses, mais fort habiles de l'accusé, qui voudrait bien se faire passer pour idiot, mais qui n'y parviendra pas, – nous l'en prévenons –, nous requérons[75] qu'il vous plaise et qu'il plaise à la cour appeler de nouveau dans cette enceinte les condamnés Brevet, Cochepaille et Chenildieu et l'inspecteur de police Javert, et les interpeller une dernière fois sur l'identité de l'accusé avec le forçat Jean Valjean.

---

74. Actions de nier.
75. Nous demandons (une peine au jury d'un tribunal).

— Je fais remarquer à M. l'avocat général, dit le président, que l'inspecteur de police Javert, rappelé par ses fonctions au chef-lieu d'un arrondissement voisin, a quitté l'audience et même la ville, aussitôt sa déposition faite.

Un moment après, la porte de la chambre des témoins s'ouvrit. L'huissier, accompagné d'un gendarme prêt à lui prêter main-forte, introduisit le condamné Brevet.

— Brevet, regardez bien l'accusé, recueillez vos souvenirs, et dites-nous, en votre âme et conscience, si vous persistez à reconnaître cet homme pour votre ancien camarade de bagne Jean Valjean.

Brevet regarda l'accusé, puis se retourna vers la cour.

— Oui, monsieur le président. C'est moi qui l'ai reconnu le premier et je persiste. Cet homme est Jean Valjean, entré à Toulon en 1796 et sorti en 1815. Je le reconnais positivement.

— Allez-vous asseoir, dit le président.

On introduisit Chenildieu, forçat à vie, comme l'indiquaient sa casaque rouge et son bonnet vert. Le président lui adressa à peu près les mêmes paroles qu'à Brevet.

Chenildieu éclata de rire.

— Pardine ! si je le reconnais ! nous avons été cinq ans attachés à la même chaîne. Tu boudes donc, mon vieux ?

— Allez-vous asseoir, dit le président.

L'huissier amena Cochepaille. Cet autre condamné à perpétuité, venu du bagne et vêtu de rouge comme Chenildieu, était un paysan de Lourdes et un demi-ours des Pyrénées.

Le président essaya de le remuer par quelques paroles pathétiques et graves.

— C'est Jean Valjean, dit Cochepaille. Même qu'on l'appelait Jean-le-Cric, tant il était fort.

Chacune des affirmations de ces trois hommes avait soulevé dans l'auditoire un murmure de fâcheux augure pour l'accusé. Celui-ci les avait écoutées avec ce visage étonné qui, selon l'accusation, était son principal moyen de défense.

Une rumeur éclata dans le public et gagna presque le jury. Il était évident que l'homme était perdu.

— Huissiers, dit le président, faites faire silence. Je vais clore les débats.

En ce moment un mouvement se fit tout à côté du président. On entendit une voix qui criait :

— Brevet, Chenildieu, Cochepaille ! regardez de ce côté-ci.

Tous ceux qui entendirent cette voix se sentirent glacés, tant elle était lamentable et terrible. Les yeux se tournèrent vers le point d'où elle venait. Un homme, placé parmi les spectateurs qui étaient assis derrière la cour, venait de se lever, avait poussé la porte à hauteur d'appui qui séparait le tribunal du prétoire, et était debout au milieu de la salle. Le président, l'avocat général, vingt personnes, le reconnurent, et s'écrièrent à la fois :

— Monsieur Madeleine !

Avant même que le président et l'avocat général eussent pu dire un mot, avant que les gendarmes et les huissiers eussent pu faire un geste, l'homme que tous appelaient encore en ce moment M. Madeleine s'était avancé vers les témoins Cochepaille, Brevet et Chenildieu.

— Vous ne me reconnaissez pas ? dit-il.

Tous trois demeurèrent interdits et indiquèrent par un signe de tête qu'ils ne le connaissaient point. M. Madeleine se tourna vers les jurés et vers la cour et dit d'une voix douce :

— Messieurs les jurés, faites relâcher l'accusé. Monsieur le président, faites-moi arrêter. L'homme que vous cherchez, ce n'est pas lui, c'est moi. Je suis Jean Valjean.

Il se tourna vers les trois forçats :

— Eh bien, je vous reconnais, moi ! Brevet, te rappelles-tu de ces bretelles en tricot à damier que tu avais au bagne ? Chenildieu, tu as toute l'épaule droite brûlée profondément, parce que tu t'es couché un jour l'épaule sur un réchaud plein de braise, pour effacer les trois lettres T.F.P., qu'on y voit toujours cependant. Réponds, est-ce vrai ?

— C'est vrai, dit Chenildieu.

— Cochepaille, tu as près de la saignée[76] du bras gauche une date gravée en lettres bleues avec de la poudre brûlée. Cette date, c'est celle du débarquement de l'empereur à Cannes, *1er mars 1815*. Relève ta manche.

Cochepaille releva sa manche, tous les regards se penchèrent autour de lui sur son bras nu. Un gendarme approcha une lampe ; la date y était.

— Vous voyez bien, dit-il, que je suis Jean Valjean.

Il était évident qu'on avait sous les yeux Jean Valjean. L'apparition de cet homme avait suffi pour remplir de clarté cette aventure si obscure le moment d'auparavant. Sans qu'il fût besoin d'aucune explication désormais, toute cette foule comprit tout de suite cette simple et magnifique histoire d'un homme qui se livrait pour qu'un autre homme ne fût pas condamné à sa place.

— Je ne veux pas déranger davantage l'audience, reprit Jean Valjean. Je m'en vais, puisqu'on ne m'arrête pas. J'ai plusieurs choses à faire. M. l'avocat général sait qui je suis, il sait où je vais, il me fera arrêter quand il voudra.

---

76. Creux du bras.

15

Javert est content

Le jour commençait à poindre. Fantine avait eu une nuit de fièvre et d'insomnie ; au matin, elle s'endormit. La sœur Simplice qui l'avait veillée profita de ce sommeil pour aller préparer une nouvelle potion de quinquina[77]. Elle était depuis quelques instants dans le laboratoire de l'infirmerie, penchée sur ses drogues, quand tout à coup elle tourna la tête et fit un léger cri. M. Madeleine était devant elle. Il venait d'entrer silencieusement.

— C'est vous, monsieur le maire ! s'écria-t-elle.

Il répondit à voix basse :

— Comment va cette pauvre femme ?

— Pas mal en ce moment. Mais nous avons été bien inquiets, allez !

Puis il demanda :

— Puis-je voir Fantine ?

---

77. Arbre des tropiques dont l'écorce sert à fabriquer des médicaments.

— Est-ce que M. le maire ne lui fera pas revenir son enfant ? dit la sœur, osant à peine hasarder une question.

— Sans doute, mais il faut au moins deux ou trois jours.

— Si elle ne voyait pas M. le maire d'ici là, reprit timidement la sœur, elle ne saurait pas que M. le maire est de retour, il serait aisé de lui faire prendre patience, et quand l'enfant arriverait elle penserait tout naturellement que M. le maire est arrivé avec l'enfant. On n'aurait pas de mensonge à faire.

M. Madeleine parut réfléchir quelques instants, puis il dit avec sa gravité calme :

— Non, ma sœur, il faut que je la voie. Je suis peut-être pressé.

— Elle repose, mais M. le maire peut entrer.

Il fit quelques observations sur une porte qui fermait mal, et dont le bruit pouvait réveiller la malade, puis il entra dans la chambre de Fantine, s'approcha du lit et entrouvrit les rideaux.

Fantine ouvrit les yeux, le vit, et dit paisiblement, avec un sourire :

— Et Cosette ? Pourquoi ne l'avoir pas mise sur mon lit pour le moment où je m'éveillerais ?

Il répondit machinalement quelque chose qu'il n'a jamais pu se rappeler plus tard.

Heureusement le médecin, averti, était survenu. Il vint en aide à M. Madeleine.

— Mon enfant, dit le médecin, calmez-vous. Votre enfant est là.

Les yeux de Fantine s'illuminèrent et couvrirent de clarté tout son visage.

— Oh ! s'écria-t-elle, apportez-la-moi !

— Pas encore, reprit le médecin, pas en ce moment. Vous avez un reste de fièvre. La vue de votre enfant vous agiterait et vous ferait du mal. Il faut d'abord vous guérir.

Elle l'interrompit impétueusement.

— Mais je suis guérie ! Je vous dis que je suis guérie ! Est-il âne, ce médecin ! Ah çà ! je veux voir mon enfant, moi !

— Vous voyez, dit le médecin, comme vous vous emportez. Tant que vous serez ainsi, je m'opposerai à ce que vous ayez votre enfant. Il ne suffit pas de la voir, il faut vivre pour elle. Quand vous serez raisonnable, je vous l'amènerai moi-même.

La pauvre mère courba la tête.

M. Madeleine lui tenait la main, il la considérait avec anxiété ; il était évident qu'il était venu pour lui dire des choses devant lesquelles sa pensée hésitait maintenant. Le médecin, sa visite faite, s'était retiré. La sœur Simplice était seule restée auprès d'eux.

Cependant, au milieu de ce silence, Fantine s'écria :

— Je l'entends ! mon Dieu ! je l'entends !

Elle étendit le bras pour qu'on se tût autour d'elle, retint son souffle, et se mit à écouter avec ravissement.

Il y avait un enfant qui jouait dans la cour : l'enfant de la portière.

— Oh ! reprit-elle, c'est ma Cosette ! je reconnais sa voix !

L'enfant s'éloigna comme il était venu, la voix s'éteignit, Fantine écouta encore quelque temps, puis son visage s'assombrit, et M. Madeleine l'entendit qui disait à voix basse :

— Comme ce médecin est méchant de ne pas me laisser voir ma fille ! Il a une mauvaise figure, cet homme-là !

Cependant le fond riant de ses idées revint :

— Comme nous allons être heureuses ! Elle doit savoir ses lettres[78] maintenant ! Et puis elle fera sa première communion dans cinq ans. Ô ma bonne sœur, vous ne savez pas comme je suis bête, voilà que je pense à la première communion de ma fille.

Et elle se mit à rire.

Jean Valjean avait quitté la main de Fantine. Il écoutait ces paroles comme on écoute un vent qui souffle, les yeux à terre, l'esprit plongé dans des réflexions sans fond. Tout à coup elle cessa de parler, cela lui fit lever machinalement la tête. Fantine était devenue effrayante.

Elle ne parlait plus, elle ne respirait plus ; elle s'était soulevée à demi sur son séant, son épaule maigre sortait de sa chemise, son visage, radieux le moment d'auparavant, était blême, et elle paraissait fixer sur quelque chose de formidable[79], devant elle, à l'autre extrémité de la chambre, son œil agrandi par la terreur.

— Mon Dieu ! s'écria-t-il. Qu'avez-vous, Fantine ?

Elle ne répondit pas, elle lui toucha le bras d'une main et de l'autre lui fit signe de regarder derrière lui.

Il se retourna, et vit Javert.

La certitude de tenir Jean Valjean fit apparaître sur sa physionomie tout ce qu'il avait dans l'âme. Le contentement de Javert éclata dans son attitude souveraine.

---

78. Savoir lire.
79. (Ici) effrayant.

16

La mort de Fantine

La Fantine n'avait point vu Javert depuis le jour où M. le maire l'avait arrachée à cet homme. Son cerveau malade ne se rendit compte de rien, seulement elle ne douta pas qu'il ne revînt la chercher. Elle ne put supporter cette figure affreuse, elle cacha son visage de ses deux mains et cria avec angoisse.

— Monsieur Madeleine, sauvez-moi !

Jean Valjean s'était levé. Il dit à Fantine de sa voix la plus douce et la plus calme.

— Soyez tranquille. Ce n'est pas pour vous qu'il vient.

Alors elle vit une chose inouïe. Elle vit le mouchard Javert saisir au collet M. le maire ; elle vit M. le maire courber la tête. Il lui sembla que le monde s'évanouissait.

— Monsieur le maire ! cria Fantine.

Javert éclata de rire, de cet affreux rire qui lui déchaussait toutes les dents.

— Il n'y a plus de monsieur le maire ici !

Jean Valjean n'essaya pas de déranger la main qui tenait le col de sa redingote. Il dit :

— Monsieur, je voudrais vous dire un mot en particulier. C'est une prière que j'ai à vous faire. Mais cela ne doit être entendu que de vous seul.

— Qu'est-ce que cela me fait ? je n'écoute pas !

— Accordez-moi trois jours pour aller chercher l'enfant de cette malheureuse ! Je paierai ce qu'il faudra. Vous m'accompagnerez si vous voulez.

— Tu veux rire ! cria Javert. Ah çà ! je ne te croyais pas bête ! Tu me demandes trois jours pour t'en aller ! Tu dis que c'est pour aller chercher l'enfant de cette fille ! Ah ! ah !

Fantine eut un tremblement.

— Mon enfant ! s'écria-t-elle, allez chercher mon enfant ! Elle n'est donc pas ici ! Ma sœur, répondez-moi, où est Cosette ? Je veux mon enfant ! Monsieur Madeleine ! monsieur le maire !

Javert frappa du pied.

— Voilà l'autre, à présent ! Te tairas-tu, drôlesse ! Gredin de pays où les galériens sont magistrats et où les filles publiques sont soignées comme des comtesses ! Ah mais ! tout ça va changer ; il était temps !

Il regarda fixement Fantine et ajouta en reprenant à poignée de cravate, la chemise et le collet de Jean Valjean :

— Je te dis qu'il n'y a point de monsieur Madeleine et qu'il n'y a point de monsieur le maire. Il y a un voleur, il y a un brigand, il y a un forçat appelé Jean Valjean ! c'est lui que je tiens ! voilà ce qu'il y a !

Fantine se dressa en sursaut, appuyée sur ses bras roides et sur ses deux mains, elle regarda Jean Valjean, elle regarda Javert, elle regarda la religieuse, elle ouvrit la bouche comme pour parler, un râle sortit du fond de sa gorge, ses dents claquèrent, elle étendit les bras avec angoisse, cherchant autour d'elle comme quelqu'un qui se noie, puis elle s'affaissa subitement sur l'oreiller. Sa tête heurta le chevet du lit et vint retomber sur sa poitrine.

Elle était morte.

Jean Valjean posa sa main sur la main de Javert qui le tenait, et l'ouvrit comme il eût ouvert la main d'un enfant, puis il dit à Javert :

— Vous avez tué cette femme.

Jean Valjean marcha lentement vers le lit de Fantine. Il prit dans ses deux mains la tête de Fantine et l'arrangea sur l'oreiller comme une mère eût fait pour son enfant. Cela fait, il lui ferma les yeux.

— Maintenant, dit-il, je suis à vous.

Javert déposa Jean Valjean à la prison.

L'arrestation de M. Madeleine produisit à Montreuil-sur-Mer une sensation extraordinaire. Nous sommes tristes de ne pouvoir dissimuler que sur ce seul mot : *c'était un galérien*, tout le monde à peu près l'abandonna. En moins de deux heures tout le bien qu'il avait fait fut oublié, et ce ne fut plus « qu'un galérien ».

C'est ainsi que ce fantôme qui s'était appelé M. Madeleine se dissipa à Montreuil-sur-Mer. Trois ou quatre personnes seulement dans toute la ville restèrent fidèles à cette mémoire. La vieille portière[80] qui l'avait servi fut du nombre.

Le soir de ce même jour, cette digne vieille était assise dans sa loge, encore tout effarée et réfléchissant tristement. Vers l'heure où M. Madeleine avait coutume de rentrer, la brave portière se leva machinalement, prit la clef de la

---

80. Servante.

chambre de M. Madeleine dans un tiroir et le bougeoir dont il se servait tous les soirs pour monter chez lui, puis elle accrocha la clef au clou où il la prenait d'habitude, et plaça le bougeoir à côté, comme si elle l'attendait.

Ce ne fut qu'au bout de plus de deux heures qu'elle sortit de sa rêverie et s'écria :

— Tiens ! mon bon Dieu Jésus : moi qui ai mis sa clef au clou !

En ce moment la vitre de la loge s'ouvrit, une main passa par l'ouverture, saisit la clef et le bougeoir et alluma la bougie à la chandelle qui brûlait.

La portière leva les yeux et resta béante, avec un cri dans le gosier qu'elle retint.

C'était M. Madeleine.

— Mon Dieu, monsieur le maire, s'écria-t-elle enfin, je vous croyais...

— En prison, dit-il. J'y étais. J'ai brisé un barreau d'une fenêtre, je me suis laissé tomber du haut d'un toit, et me voici. Je monte à ma chambre, allez me chercher la sœur Simplice. Elle est sans doute près de cette pauvre femme.

La vieille obéit en toute hâte.

Il monta l'escalier qui conduisait à sa chambre. Arrivé en haut, il laissa son bougeoir sur les dernières marches de l'escalier, ouvrit sa porte avec peu de bruit, et alla fermer à tâtons sa fenêtre et son volet, puis il revint prendre sa bougie et rentra dans sa chambre.

On frappa deux petits coups à la porte.

— Entrez, dit-il.

C'était la sœur Simplice.

Elle était pâle, elle avait les yeux rouges, la chandelle qu'elle tenait vacillait dans sa main.

Jean Valjean venait d'écrire quelques lignes sur un papier qu'il tendit à la religieuse en disant :

— Ma sœur, vous remettrez ceci à M. le curé. Vous pouvez lire.

Elle lut : « Je prie M. le curé de veiller sur tout ce que je laisse ici. Il voudra bien payer là-dessus les frais de mon procès et l'enterrement de la femme qui est morte aujourd'hui. Le reste sera aux pauvres. »

— Est-ce que M. le maire ne désire pas revoir une dernière fois cette pauvre malheureuse ?

— Non, dit-il, on est à ma poursuite, on n'aurait qu'à m'arrêter dans sa chambre, cela la troublerait.

Une heure après, un homme, marchant à travers les arbres et les brumes, s'éloignait rapidement de Montreuil-sur-Mer dans la direction de Paris. Cet homme était Jean Valjean.

Deuxième partie

Cosette

1

La question de l'eau à Montfermeil

Montfermeil est situé entre Livry et Chelles, sur la lisière méridionale de ce haut plateau qui sépare l'Ourcq de la Marne. C'était un endroit paisible et charmant, qui n'était sur la route de rien ; on y vivait à bon marché de cette vie paysanne si abondante et si facile. Seulement l'eau y était rare à cause de l'élévation du plateau. Il fallait aller la chercher assez loin. C'était donc une assez rude besogne pour chaque ménage que cet approvisionnement de l'eau. Les grosses maisons, la gargote Thénardier, payaient un liard par seau d'eau à un bonhomme donc c'était l'état et qui gagnait à cette entreprise des eaux de Montfermeil environ huit sous par jour ; mais ce bonhomme ne travaillait que jusqu'à sept heures du soir l'été et jusqu'à cinq heures l'hiver, et une fois la nuit venue, qui n'avait pas d'eau à boire en allait chercher ou s'en passait.

C'était là la terreur de la petite Cosette. On se souvient que Cosette était utile aux Thénardier de deux manières, ils se faisaient payer par la mère et ils se faisaient servir par l'enfant. Aussi quand la mère cessa tout à fait de payer, les Thénardier gardèrent Cosette. Elle leur remplaçait une servante. En cette qualité, c'était elle qui courait chercher de l'eau quand il en fallait. Aussi l'enfant, fort épouvantée de l'idée d'aller à la source la nuit, avait-elle grand soin que l'eau ne manquât jamais à la maison.

La Noël de l'année 1823 fut particulièrement brillante à Montfermeil. Des bateleurs[81] venus de Paris avaient obtenu de M. le maire la permission de dresser leurs baraques dans la grande rue du village, et une bande de marchands ambulants avait, sous la même tolérance, construit ses échoppes sur la place de l'église et jusque dans la ruelle du Boulanger, où était située la gargote des Thénardier. Cela emplissait les auberges et les cabarets, et donnait à ce petit pays tranquille une vie bruyante et joyeuse.

Dans la soirée même de Noël plusieurs hommes, rouliers et colporteurs[82], étaient attablés et buvaient autour de quatre ou cinq chandelles dans la salle basse de l'auberge Thénardier. La Thénardier surveillait le souper qui rôtissait devant un bon feu clair ; le mari Thénardier buvait avec ses hôtes et parlait politique.

Cosette était à sa place ordinaire, assise sur la traverse de la table de cuisine près de la cheminée. Un tout jeune chat jouait sous les chaises. On entendait rire et jaser dans une pièce voisine deux fraîches voix d'enfants ; c'étaient Éponine et Azelma.

Au coin de la cheminée, un martinet était suspendu à un clou.

Par intervalles, le cri d'un très jeune enfant, qui était quelque part dans la maison, perçait au milieu du bruit du

---

81. Saltimbanques.
82. Marchands ambulants.

cabaret. C'était un petit garçon que la Thénardier avait eu un des hivers précédents, « sans savoir pourquoi, disait-elle : effet du froid », et qui était âgé d'un peu plus de trois ans. La mère l'avait nourri, mais ne l'aimait pas.

Thénardier venait de dépasser ses cinquante ans ; Mme Thénardier touchait à la quarantaine.

Cet homme et cette femme, c'était ruse et rage mariées ensemble. Cosette était entre eux, subissant leur double pression, comme une créature qui serait à la fois broyée par une meule et déchiquetée par une tenaille. L'homme et la femme avaient chacun une manière différente ; Cosette était rouée de coups, cela venait de la femme ; elle allait pieds nus l'hiver ; cela venait du mari.

Cosette montait, descendait, lavait, brossait, frottait, balayait, courait, trimait, haletait, remuait des choses lourdes, et, toute chétive, faisait les grosses besognes. Nulle pitié ! une maîtresse farouche, un maître venimeux. La gargote Thénardier était comme une toile où Cosette était prise et tremblait.

La pauvre enfant, passive, se taisait.

Il était arrivé quatre nouveaux voyageurs.

Cosette pensait qu'il était nuit, très nuit, qu'il avait fallu remplir à l'improviste les pots et les carafes dans les chambres des voyageurs survenus, et qu'il n'y avait plus d'eau dans la fontaine.

Tout à coup, un des marchands colporteurs logés dans l'auberge entra, et dit d'une voix dure :

— On n'a pas donné à boire à mon cheval.

— Si fait vraiment, dit la Thénardier.

— Je vous dis que non, la mère.

Cosette était sortie de dessous la table.

— Oh ! si ! monsieur ! dit-elle, le cheval a bu, il a bu dans le seau, plein le seau, et même que c'est moi qui lui ai porté à boire, et je lui ai parlé.

Cela n'était pas vrai. Cosette mentait.

— En voilà une qui est grosse comme le poing et qui ment gros comme la maison, s'écria le marchand. Je te dis qu'il n'a pas bu, petite drôlesse ! Il a une manière de souffler, quand il n'a pas bu, que je connais bien.

Cosette persista et ajouta d'une voix enrouée par l'angoisse et qu'on entendait à peine :

— Et même qu'il a bien bu !

— Allons, reprit le marchand avec colère, ce n'est pas tout ça, qu'on donne à boire à mon cheval et que cela finisse !

Cosette rentra sous la table.

— Au fait, c'est juste, dit la Thénardier, si cette bête n'a pas bu, il faut qu'elle boive.

Puis, regardant autour d'elle :

— Eh bien, où est donc cette autre ?

Elle se pencha et découvrit Cosette blottie à l'autre bout de la table, presque sous les pieds des buveurs.

— Vas-tu venir ! cria la Thénardier.

Cosette sortit de l'espèce de trou où elle s'était cachée. La Thénardier reprit :

— Mademoiselle Chien-faute-de-nom, va porter à boire à ce cheval.

— Mais, madame, dit Cosette faiblement, c'est qu'il n'y a pas d'eau.

La Thénardier ouvrit toute grande la porte de la rue.

— Eh bien, va en chercher !

Cosette baissa la tête, et alla prendre un seau vide qui était au coin de la cheminée.

Ce seau était plus grand qu'elle, et l'enfant aurait pu s'asseoir dedans et y tenir à l'aise.

La Thénardier se remit à son fourneau, et goûta avec une cuillère de bois ce qui était dans la casserole, tout en grommelant :

— Il y en a encore à la source. Ce n'est pas plus malin que ça. Je crois que j'aurais mieux fait de passer mes oignons.

Puis elle fouilla dans un tiroir où il y avait des sous, du poivre et des échalotes :

— Tiens, mamselle Crapaud, ajouta-t-elle, en revenant tu prendras un gros pain chez le boulanger. Voilà une pièce de quinze sous.

Cosette avait une petite poche de côté à son tablier ; elle prit la pièce sans dire un mot, et la mit dans cette poche.

Puis elle resta immobile le seau à la main la porte ouverte devant elle. Elle semblait attendre qu'on vînt à son secours.

— Va donc ! cria la Thénardier.

Cosette sortit. La porte se referma.

2

La poupée

La file de boutiques en plein vent qui partait de l'église se développait, on s'en souvient, jusqu'à l'auberge Thénardier. La dernière de ces baraques, établie précisément en face de la porte des Thénardier, était une boutique de bimbeloterie, toute reluisante de clinquants, de verroteries et de choses magnifiques en fer-blanc. Au premier rang, et en avant, le marchand avait placé, sur un fond de serviettes blanches, une immense poupée haute de près de deux pieds, qui était vêtue d'une robe de crêpe rose avec des épis d'or sur la tête et qui avait de vrais cheveux et des yeux en émail. Éponine et Azelma avaient passé des heures à la contempler, et Cosette elle-même, furtivement, il est vrai, avait osé la regarder.

Au moment où Cosette sortit, son seau à la main, si morne et si accablée qu'elle fût, elle ne put s'empêcher de lever les yeux sur cette prodigieuse poupée, vers la *dame* comme elle l'appelait. Cosette se disait qu'il fallait être reine ou au moins princesse pour avoir une « chose » comme cela.

Dans cette adoration, elle oubliait tout, même la commission dont elle était chargée. Tout à coup, la voix rude de la Thénardier la rappela à la réalité :

— Comment, péronnelle, tu n'es pas partie ! Attends ! je vais à toi ! Je vous demande un peu ce qu'elle fait là ! Petit monstre, va !

Cosette s'enfuit emportant son seau et faisant les plus grands pas qu'elle pouvait.

C'était à la source du bois du côté de Chelles que Cosette devait aller puiser de l'eau.

Elle ne regarda plus un seul étalage de marchand. Tant qu'elle fut dans la ruelle du Boulanger et dans les environs de l'église, les boutiques illuminées éclairaient le chemin, mais bientôt la dernière lueur de la dernière baraque disparut. La pauvre enfant se trouva dans l'obscurité. Elle s'y enfonça. Seulement, comme une certaine émotion la gagnait, tout en marchant elle agitait le plus qu'elle pouvait l'anse du seau. Cela faisait un bruit qui lui tenait compagnie.

Le frémissement nocturne de la forêt l'enveloppait tout entière. Elle arriva enfin à la source.

Cosette ne prit pas le temps de respirer. Il faisait très noir, mais elle avait l'habitude de venir à cette fontaine. Elle chercha de la main gauche dans l'obscurité un jeune chêne incliné sur la source qui lui servait ordinairement de point d'appui, rencontra une branche, s'y suspendit, se pencha et plongea le seau dans l'eau. Elle était dans un moment si violent que ses forces étaient triplées. Pendant qu'elle était ainsi penchée, elle ne fit pas attention que la poche de son tablier se vidait dans la source. La pièce de quinze sous tomba dans l'eau. Cosette ne la vit ni ne l'entendit tomber. Elle retira le seau presque plein et le posa sur l'herbe.

Cela fait, elle s'aperçut qu'elle était épuisée de lassitude. Elle eût bien voulu repartir tout de suite ; mais l'effort de remplir le seau avait été tel qu'il lui fut impossible de faire un pas. Elle fut bien forcée de s'asseoir. Elle se laissa tomber sur l'herbe et y demeura accroupie.

Elle ferma les yeux, puis elle les rouvrit. À côté d'elle l'eau agitée dans le seau faisait des cercles qui ressemblaient à des serpents de feu blanc. Elle se leva. La peur lui était revenue, une peur naturelle et insurmontable. Elle n'eut plus qu'une pensée, s'enfuir ; s'enfuir à toutes jambes, à travers bois, à travers champs, jusqu'aux maisons, jusqu'aux fenêtres, jusqu'aux chandelles allumées. Son regard tomba sur le seau qui était devant elle. Tel était l'effroi que lui inspirait la Thénardier qu'elle n'osa pas s'enfuir sans le seau d'eau. Elle saisit l'anse à deux mains. Elle eut de la peine à soulever le seau.

Elle soufflait avec une sorte de râlement douloureux ; des sanglots lui serraient la gorge, mais elle n'osait pas pleurer, tant elle avait peur de la Thénardier, même loin.

Cependant elle ne pouvait pas faire beaucoup de chemin de la sorte, et elle allait bien lentement. Parvenue près d'un vieux châtaignier qu'elle connaissait, elle fit une dernière halte plus longue que les autres pour se bien reposer, puis elle rassembla toutes ses forces, reprit le seau et se remit à marcher courageusement.

En ce moment, elle sentit tout à coup que le seau ne pesait plus rien. Une main, qui lui parut énorme, venait de saisir l'anse et la soulevait vigoureusement. Elle leva la tête. Une grande forme noire, droite et debout, marchait auprès d'elle dans l'obscurité. C'était un homme qui était arrivé derrière elle et qu'elle n'avait pas entendu venir. Cet homme, sans dire un mot, avait empoigné l'anse du seau qu'elle portait.

3

Cosette et l'inconnu

L'homme adressa la parole à Cosette. Il parlait d'une voix grave et presque basse.

— Mon enfant, c'est bien lourd pour vous ce que vous portez là.

Cosette leva la tête et répondit :

— Oui, monsieur.

— Donnez, reprit l'homme, je vais vous le porter.

Cosette lâcha le seau.

— Petite, quel âge as-tu ?

— Huit ans, monsieur.

— Et viens-tu de loin comme cela ?

— De la source qui est dans le bois.

— Et est-ce loin où tu vas ?

— À un bon quart d'heure d'ici.

L'homme resta un moment sans parler, puis il dit brusquement.

— Tu n'as donc pas de mère ?

— Je ne crois pas. Les autres en ont. Moi, je n'en ai pas. Je crois que je n'en ai jamais eu.

L'homme s'arrêta, il posa le seau à terre, se pencha et mit ses deux mains sur les deux épaules de l'enfant, faisant effort pour la regarder et voir son visage dans l'obscurité.

La figure maigre et chétive de Cosette se dessinait vaguement à la lueur livide du ciel.

— Comment t'appelles-tu ? dit l'homme.

— Cosette.

L'homme eut comme une secousse électrique. Il la regarda encore puis il ôta ses mains de dessus les épaules de Cosette, saisit le seau, et se remit à marcher.

Au bout d'un instant, il demanda :

— Petite, où demeures-tu ?

— À Montfermeil, si vous connaissez.

— Qui est-ce donc qui t'a envoyée à cette heure chercher de l'eau dans le bois ?

— C'est Mme Thénardier.

L'homme repartit d'un son de voix qu'il voulait s'efforcer de rendre indifférent, mais où il y avait pourtant un tremblement singulier :

— Qu'est-ce qu'elle fait, ta Mme Thénardier ?

— C'est ma bourgeoise, dit l'enfant. Elle tient l'auberge.

— L'auberge ? dit l'homme. Eh bien, je vais aller y loger cette nuit. Conduis-moi.

L'homme marchait assez vite. Cosette le suivait sans peine. Elle ne sentait plus la fatigue.

Quelques minutes s'écoulèrent. L'homme reprit :

— Est-ce qu'il n'y a pas de servante chez Mme Thénardier ?

— Non, monsieur.

— Est-ce que tu es seule ?

— Oui, monsieur. C'est-à-dire il y a deux petites filles.

— Quelles petites filles ?

— Ponine et Zelma.

— Qu'est-ce que c'est que Ponine et Zelma ?

— Ce sont les demoiselles de Mme Thénardier. Comme qui dirait ses filles.

— Et que font-elles, celles-là ?

— Oh ! dit l'enfant, elles ont de belles poupées, des choses où il y a de l'or, tout plein d'affaires. Elles jouent, elles s'amusent.

— Et toi ?

— Moi, je travaille. Des fois, quand j'ai fini l'ouvrage et qu'on veut bien, je m'amuse aussi.

— Comment t'amuses-tu ?

— Comme je peux. On me laisse. Mais je n'ai pas beaucoup de joujoux. Ponine et Zelma ne veulent pas que je joue avec leurs poupées. Je n'ai qu'un petit sabre en plomb, pas plus long que ça.

L'enfant montrait son petit doigt.

— Et qui ne coupe pas ?

— Si, monsieur, dit l'enfant, ça coupe la salade et les têtes de mouches.

Ils atteignirent le village ; Cosette guida l'étranger dans les rues. Ils passèrent devant la boulangerie, mais Cosette ne songea pas au pain qu'elle devait rapporter. L'homme avait cessé de lui faire des questions et gardait maintenant un silence morne. Quand ils eurent laissé l'église derrière eux, l'homme, voyant toutes ces boutiques en plein vent, demanda à Cosette :

— C'est donc la foire ici ?

— Non, monsieur, c'est Noël.

Comme ils approchaient de l'auberge, Cosette lui toucha le bras timidement :

— Monsieur ?

— Quoi, mon enfant ?

— Nous voilà tout près de la maison. Voulez-vous me laisser reprendre le seau à présent ?

— Pourquoi ?

— C'est que, si madame voit qu'on me l'a porté, elle me battra.

L'homme lui remit le seau. Un instant après, ils étaient à la porte de la gargote.

4

Les Thénardier à la manœuvre

Cosette ne put s'empêcher de jeter un regard de côté à la grande poupée toujours étalée chez le bimbelotier[83], puis elle frappa. La porte s'ouvrit. La Thénardier parut, une chandelle à la main.

— Ah ! c'est toi, petite gueuse ! Dieu merci, tu y as mis le temps ! elle se sera amusée, la drôlesse !

— Madame, dit Cosette toute tremblante, voilà un monsieur qui vient loger.

La Thénardier remplaça bien vite sa mine bourrue par sa grimace aimable, changement à vue propre aux aubergistes, et chercha avidement des yeux le nouveau venu.

L'inspection du costume et du bagage de l'étranger que la Thénardier passa en revue d'un coup d'œil fit évanouir la grimace aimable et reparaître la mine bourrue.

— Entrez, bonhomme.

Le « bonhomme » entra. La Thénardier jeta un coup d'œil à son mari, lequel buvait toujours avec les rouliers. Le

---

83. Marchand de bibelots.

mari répondit par cette imperceptible agitation de l'index qui, appuyée du gonflement des lèvres, signifie en pareil cas : débine[84] complète. Sur ce, la Thénardier s'écria :

— Ah çà, brave homme, je suis bien fâchée, mais c'est que je n'ai plus de place.

— Mettez-moi où vous voudrez, dit l'homme, au grenier, à l'écurie. Je payerai comme si j'avais une chambre.

— Quarante sous.

— Quarante sous. Soit.

Cependant l'homme, après avoir laissé sur un banc son paquet et son bâton, s'était assis à une table où Cosette s'était empressée de poser une bouteille de vin et un verre. Le marchand qui avait demandé le seau d'eau était allé lui-même le porter à son cheval. Cosette avait repris sa place sous la table de cuisine.

L'homme, qui avait à peine trempé ses lèvres dans le verre de vin qu'il s'était versé, considérait l'enfant avec une attention étrange.

Tout à coup la Thénardier s'écria :

— À propos ! et ce pain ?

Cosette sortit bien vite de dessous la table. Elle avait complètement oublié ce pain. Elle eut recours à l'expédient des enfants toujours effrayés. Elle mentit.

— Madame, le boulanger était fermé.

— Je saurai demain si c'est vrai, dit la Thénardier, et si tu mens tu auras une fière danse[85]. En attendant, rends-moi donc la pièce de quinze sous.

Cosette plongea sa main dans la poche de son tablier, et devint verte. La pièce de quinze sous n'y était plus.

---

84. Refus.
85. Punition.

— Est-ce que tu l'as perdue, la pièce-quinze-sous ? râla la Thénardier, ou bien est-ce que tu veux me la voler ?

En même temps elle allongea le bras vers le martinet suspendu à l'angle de la cheminée.

La Thénardier détacha le martinet.

Cependant, l'homme à la redingote jaune avait fouillé dans le gousset de son gilet, sans qu'on eût remarqué ce mouvement.

Cosette se pelotonnait avec angoisse dans l'angle de la cheminée, tâchant de ramasser et de dérober ses pauvres membres demi-nus. La Thénardier leva le bras.

— Pardon, madame, dit l'homme, mais tout à l'heure j'ai vu quelque chose qui est tombé de la poche du tablier de cette petite et qui a roulé. C'est peut-être cela.

En même temps, il se baissa et parut chercher à terre un instant.

— Justement, voici, reprit-il en se relevant.

Et il tendit une pièce d'argent à la Thénardier.

— Oui, c'est cela, dit-elle.

Ce n'était pas cela, car c'était une pièce de vingt sous, mais la Thénardier y trouvait du bénéfice. Elle mit la pièce dans sa poche, et se borna à jeter un regard farouche à l'enfant en disant :

— Que cela ne t'arrive plus, toujours !

Cosette rentra dans ce que la Thénardier appelait « sa niche », et son grand œil, fixé sur le voyageur inconnu, commença à prendre une expression qu'il n'avait jamais eue. Ce n'était encore qu'un naïf étonnement, mais une sorte de confiance stupéfaite s'y mêlait.

Cependant une porte s'était ouverte et Éponine et Azelma étaient entrées.

C'étaient vraiment deux jolies petites filles, plutôt bour-geoises que paysannes, très charmantes, l'une avec ses tresses châtaines bien lustrées, l'autre avec ses longues nattes noires tombant derrière le dos. Elles vinrent s'asseoir au coin du feu. Elles avaient une poupée qu'elles tournaient et retour-naient sur leurs genoux avec toutes sortes de gazouillements joyeux. De temps en temps, Cosette levait les yeux de son tricot, et les regardait jouer d'un air lugubre.

Éponine et Azelma ne regardaient pas Cosette. C'était pour elles comme le chien.

La poupée des sœurs Thénardier était très fanée et très vieille et toute cassée, mais elle n'en paraissait pas moins admirable à Cosette, qui de sa vie n'avait eu une *vraie poupée*.

Éponine et Azelma venaient d'exécuter une opération fort importante ; elles s'étaient emparées du chat. Elles avaient jeté la poupée à terre, et Éponine, qui était l'aînée, emmaillotait le petit chat, malgré ses miaulements et ses contorsions, avec une foule de nippes et de guenilles rouges et bleues. Tout en faisant ce grave et difficile travail, elle disait à sa sœur :

— Vois-tu, ma sœur, cette poupée-là est plus amusante que l'autre. Elle remue, elle crie, elle est chaude. Vois-tu, ma sœur, jouons avec.

Azelma écoutait Éponine avec admiration.

La Thénardier, elle, s'était rapprochée de *l'homme jaune*. Elle vint s'accouder à sa table.

— Voyez-vous, cela n'a rien. Il faut que cela travaille.

— Elle n'est donc pas à vous, cette enfant ? demanda l'homme.

— Oh, mon Dieu, non, monsieur ! c'est une petite pauvre que nous avons recueillie comme cela, par charité.

Nous faisons pour elle ce que nous pouvons, car nous ne sommes pas riches. Nous avons beau écrire à son pays, voilà six mois qu'on ne nous répond plus. Il faut croire que sa mère est morte.

— Ah ! dit l'homme, et il retomba dans sa rêverie.

— C'était une pas grand-chose que cette mère, ajouta la Thénardier. Elle abandonnait son enfant.

Pendant toute cette conversation, Cosette, comme si un instinct l'eût avertie qu'on parlait d'elle, n'avait pas quitté des yeux la Thénardier. Elle écoutait vaguement. Tout à coup Cosette s'interrompit. Elle venait de se retourner et d'apercevoir la poupée des petites Thénardier qu'elles avaient quittée pour le chat et laissée à terre à quelques pas de la table de cuisine.

Alors elle promena lentement ses yeux autour de la salle. La Thénardier parlait bas à son mari, et comptait de la monnaie. Ponine et Zelma jouaient avec le chat, les voyageurs mangeaient ou buvaient, aucun regard n'était fixé sur elle. Elle sortit de dessous la table en rampant sur les genoux et sur les mains, s'assura encore une fois qu'on ne la guettait pas, puis se glissa vivement jusqu'à la poupée et la saisit. Un instant après elle était à sa place, assise, immobile, tournée seulement de manière à faire de l'ombre sur la poupée qu'elle tenait dans ses bras. Ce bonheur de jouer avec une poupée était tellement rare pour elle qu'il avait toute la violence d'une volupté.

Personne ne l'avait vue, excepté le voyageur.

Cette joie dura près d'un quart d'heure.

Mais quelque précaution que prît Cosette, elle ne s'apercevait pas qu'un des pieds de la poupée – *passait* – et que le feu de la cheminée l'éclairait très vivement. Ce pied rose et lumineux qui sortait de l'ombre frappa subitement le regard d'Azelma qui dit à Éponine :

— Tiens ! ma sœur !

Les deux petites filles s'arrêtèrent, stupéfaites. Cosette avait osé prendre la poupée !

Éponine se leva et, sans lâcher le chat, alla vers sa mère et se mit à la tirer par sa jupe.

— Mère, dit l'enfant, regarde donc !

Et elle désignait du doigt Cosette.

Le visage de la Thénardier prit cette expression particulière qui se compose du terrible mêlé aux riens de la vie et qui a fait nommer ces sortes de femmes : mégères.

Elle cria d'une voix que l'indignation enrouait :

— Cosette !

Cosette tressaillit comme si la terre eût tremblé sous elle. Elle se retourna.

— Cosette ! répéta la Thénardier.

Cosette prit la poupée et la posa doucement à terre avec une sorte de vénération mêlée de désespoir. Elle éclata en sanglots.

Cependant le voyageur s'était levé. L'homme alla droit à la porte de la rue, l'ouvrit et sortit.

Dès qu'il fut sorti, la Thénardier profita de son absence pour allonger sous la table à Cosette un grand coup de pied qui fit jeter à l'enfant les hauts cris.

La porte se rouvrit, l'homme reparut, il portait dans ses deux mains la poupée fabuleuse dont nous avons parlé et que tous les marmots du village contemplaient depuis le matin, et il la posa debout devant Cosette en disant :

— Tiens, c'est pour toi.

Cosette leva les yeux, elle regarda la poupée, puis elle recula lentement et s'alla cacher tout au fond sous la table dans le coin du mur.

Elle ne pleurait plus, elle ne criait plus, elle avait l'air de ne plus oser respirer.

La Thénardier, pétrifiée et muette, se demandait : « Qu'est-ce que c'est que ce vieux ? est-ce un pauvre ? est-ce un millionnaire ? C'est peut-être les deux, c'est-à-dire un voleur. »

Le gargotier considérait tour à tour la poupée et le voyageur ; il semblait flairer cet homme comme il eût flairé un sac d'argent. Il s'approcha de sa femme et lui dit bas :

— Cette machine coûte au moins trente francs. Pas de bêtises. À plat ventre devant l'homme !

— Eh bien, Cosette, dit la Thénardier d'une voix qui voulait être douce et qui était toute composée de ce miel aigre des méchantes femmes, est-ce que tu ne prends pas ta poupée ?

Cosette se hasarda à sortir de son trou.

— Ma petite Cosette, reprit le Thénardier d'un air caressant, monsieur te donne une poupée. Prends-la. Elle est à toi.

— Vrai, monsieur ? Est-ce que c'est vrai ? c'est à moi, la dame ?

L'étranger paraissait avoir les yeux pleins de larmes. Il fit un signe de tête à Cosette et mit la main de « la dame » dans sa petite main.

Cosette retira vivement sa main, comme si celle de la *dame la brûlait*, et se mit à regarder le pavé. Elle tirait la langue d'une façon démesurée. Tout à coup, elle se retourna et saisit la poupée avec emportement.

— Je l'appellerai Catherine, dit-elle.

Ce fut un moment bizarre que celui où les haillons de Cosette rencontrèrent et étreignirent les rubans et les fraîches mousselines roses de la poupée.

Cosette posa Catherine sur une chaise, puis s'assit à terre devant elle, et demeura immobile, sans dire un mot, dans l'attitude de la contemplation.

Cet étranger était en ce moment-là ce que la Thénardier haïssait le plus au monde. Pourtant, il fallait se contraindre. Elle se hâta d'envoyer ses filles coucher, puis elle demanda à l'homme jaune la *permission* d'y envoyer Cosette, *qui a bien fatigué aujourd'hui*, ajouta-t-elle d'un air maternel. Cosette s'alla coucher emportant Catherine entre ses bras.

L'homme s'était accoudé sur la table et avait repris son attitude de rêverie. Plusieurs heures s'écoulèrent. La messe de minuit était dite, le réveillon était fini, les buveurs s'en étaient allés, le cabaret était fermé, la salle était déserte, le feu s'était éteint, l'étranger était toujours à la même place et dans la même posture. De temps en temps il changeait le coude sur lequel il s'appuyait. Voilà tout. Mais il n'avait pas dit un mot depuis que Cosette n'était plus là.

Les Thénardier seuls étaient restés dans la salle.

— Est-ce qu'il va passer la nuit comme ça ? grommelait la Thénardier.

Comme deux heures du matin sonnaient, elle dit à son mari :

— Je vais me coucher. Fais-en ce que tu voudras.

Le mari s'assit à une table dans un coin, alluma une chandelle et se mit à lire le *Courrier français*.

Une bonne heure passa ainsi. Le digne aubergiste avait lu au moins trois fois le *Courrier français*. L'étranger ne bougeait pas.

Le Thénardier remua, toussa, cracha, se moucha, fit craquer sa chaise. Aucun mouvement de l'homme.

« Est-ce qu'il dort ? » pensa le Thénardier.

L'homme ne dormait pas.

Enfin Thénardier ôta son bonnet, s'approcha doucement et s'aventura à dire :

— Est-ce que monsieur ne va pas reposer ?

— Tiens ! dit l'étranger, vous avez raison. Où est votre écurie ?

— Monsieur, fit le Thénardier avec un sourire, je vais conduire monsieur.

Il prit la chandelle, l'homme prit son paquet et son bâton, et Thénardier le mena dans une chambre au premier qui était d'une rare splendeur, toute meublée en acajou avec un lit-bateau et des rideaux en calicot[86] rouge.

— Qu'est-ce que c'est que cela ? dit le voyageur.

— C'est notre propre chambre de noce, dit l'aubergiste. Nous en habitons une autre, mon épouse et moi. On n'entre ici que trois ou quatre fois dans l'année.

— J'aurais autant aimé l'écurie, dit l'homme brusquement.

Le Thénardier n'eut pas l'air d'entendre cette réflexion peu obligeante. Il se retira dans sa chambre. Sa femme était couchée, mais elle ne dormait pas. Quand elle entendit le pas de son mari, elle se retourna et lui dit :

— Tu sais que je flanque demain Cosette à la porte.

Le Thénardier répondit froidement :

— Comme tu y vas !

Ils n'échangèrent pas d'autres paroles, et quelques moments après leur chandelle était éteinte.

---

86. Tissu de coton.

Le lendemain matin, deux heures au moins avant le jour, le mari Thénardier, attablé près d'une chandelle dans la salle basse du cabaret, une plume à la main, composait la carte du voyageur à la redingote jaune.

La femme debout, à demi courbée sur lui, le suivait des yeux. Ils n'échangeaient pas une parole. On entendit un bruit dans la maison ; c'était l'Alouette qui balayait l'escalier.

Après un bon quart d'heure et quelques ratures, le Thénardier arriva à un total de vingt-trois francs pour le souper, la chambre, le feu et le service.

— Tu as raison, il doit bien cela, murmura la femme qui songeait à la poupée donnée à Cosette en présence des filles, c'est juste, mais c'est trop. Il ne voudra pas payer.

Le Thénardier fit son rire froid et dit :

— Il payera. Je dois bien quinze cents francs, moi !

Il alla s'asseoir au coin de la cheminée, méditant, les pieds sur les cendres chaudes.

— Ah ! çà ! reprit la femme, tu n'oublies pas que je flanque Cosette à la porte aujourd'hui ? Ce monstre ! elle me mange le cœur avec sa poupée !

Le Thénardier alluma sa pipe et répondit entre deux bouffées :

— Tu remettras la carte à l'homme.

Puis il sortit.

Il était à peine hors de la salle que le voyageur y entra, portant à la main son bâton et son paquet.

Le Thénardier reparut sur-le-champ derrière lui et demeura immobile dans la porte entrebâillée, visible seulement pour sa femme.

— Levé si tôt ! dit la Thénardier, est-ce que monsieur nous quitte déjà ?

— Oui, madame, je m'en vais.

— Monsieur, reprit-elle, n'avait donc pas d'affaires à Montfermeil ?

— Non. Je passe par ici. Voilà tout. Madame, ajouta-t-il, qu'est-ce que je dois ?

La Thénardier, sans répondre, lui tendit la carte pliée.

L'homme déplia le papier, et le regarda mais son attention était visiblement ailleurs.

— Madame, reprit-il, faites-vous de bonnes affaires dans ce Montfermeil ?

— Oh ! monsieur, les temps sont bien durs ! et puis nous avons si peu de bourgeois dans nos endroits ! C'est tout petit monde, voyez-vous. Nous avons tant de charges. Tenez, cette petite nous coûte les yeux de la tête.

— Quelle petite ?

— Eh bien, la petite, vous savez ! Cosette ! l'Alouette, comme on dit dans le pays !

— Ah ! dit l'homme. Et si l'on vous en débarrassait ?

— De qui ? de la Cosette ?

— Oui.

La face rouge et violente de la gargotière s'illumina d'un épanouissement hideux.

— Ah, monsieur ! mon bon monsieur ! prenez-la, gardez-la, emmenez-la, emportez-la, sucrez-la, truffez-la, buvez-la, mangez-la, et soyez béni de la bonne sainte Vierge et de tous les saints du paradis !

— C'est dit. Je l'emmène. Tout de suite. Appelez l'enfant.

— Cosette ? cria la Thénardier.

— En attendant, poursuivit l'homme, je vais toujours vous payer ma dépense. Combien est-ce ?

Il jeta un coup d'œil sur la carte et ne put réprimer un mouvement de surprise. Il regarda la gargotière :

— Vingt-trois francs !

— Dame oui, monsieur ! c'est vingt-trois francs.

L'étranger posa cinq pièces de cinq francs sur la table.

— Allez chercher la petite, dit-il.

Un instant après, Cosette entrait dans la salle basse.

L'étranger prit le paquet qu'il avait apporté et le dénoua. Ce paquet contenait une petite robe de laine, un tablier, une brassière de futaine, un jupon, un fichu, des bas de laine, des souliers, un vêtement complet pour une fille de sept ans. Tout cela était noir.

— Mon enfant, dit l'homme, prends ceci et va t'habiller bien vite.

Le jour paraissait lorsque ceux des habitants de Montfermeil qui commençaient à ouvrir leurs portes virent passer dans la rue de Paris un bonhomme pauvrement vêtu donnant la main à une fille tout en deuil qui portait une poupée rose dans ses bras.

Cosette s'en allait. Avec qui ? elle l'ignorait. Où ? elle ne savait pas. Tout ce qu'elle comprenait, c'est qu'elle laissait derrière elle la gargote Thénardier.

Personne n'avait songé à lui dire adieu, ni elle à dire adieu à personne. Elle sortait de cette maison haïe et haïssant.

5

La masure Gorbeau

Le soir même du jour où Jean Valjean avait tiré Cosette des griffes des Thénardier, il rentrait dans Paris. Il y rentrait à la nuit tombante, avec l'enfant. Là il monta dans un cabriolet qui le conduisit à l'esplanade de l'Observatoire. Il y descendit, paya le cocher, prit Cosette par la main, et tous deux, dans la nuit noire, se dirigèrent vers le boulevard de l'Hôpital.

Là, près d'une usine et entre deux murs de jardin, se trouvait une masure qui, au premier coup d'œil, semblait petite comme une chaumière et qui en réalité était grande comme une cathédrale.

Cette masure n'avait qu'un étage. C'était la maison Gorbeau n° 52.

Ce fut devant elle que Jean Valjean s'arrêta.

Il fouilla dans son gilet, y prit une sorte de passe-partout, ouvrit la porte, entra, puis la referma avec soin, et monta l'escalier, portant Cosette.

Au haut de l'escalier, il tira de sa poche une autre clef avec laquelle il ouvrit une autre porte. La chambre où il entra et qu'il referma sur-le-champ était une espèce de galetas assez spacieux meublé d'un matelas posé à terre, d'une table et de quelques chaises. Au fond il y avait un cabinet avec un lit de sangle, Jean Valjean porta l'enfant sur ce lit et l'y déposa sans qu'elle s'éveillât.

Jean Valjean se courba et baisa la main de cette enfant.

Pauvre vieux cœur tout neuf !

L'évêque avait fait lever à son horizon l'aube de la vertu ; Cosette y faisait lever l'aube de l'amour.

Les semaines se succédèrent. Ces deux êtres menaient dans ce taudis misérable une existence heureuse.

Jean Valjean s'était mis à lui enseigner à lire. Apprendre à lire à Cosette et la laisser jouer, c'était à peu près là toute la vie de Jean Valjean.

Elle l'appelait *père*, et ne lui savait pas d'autre nom.

Jean Valjean avait la prudence de ne sortir jamais le jour. Tous les soirs, au crépuscule, il se promenait une heure ou deux, quelquefois seul, souvent avec Cosette, cherchant les contre-allées des boulevards les plus solitaires. Il allait volontiers à Saint-Médard qui est l'église la plus proche.

Il y avait près de Saint-Médard un pauvre qui s'accroupissait sur la margelle d'un puits banal condamné, et auquel Jean Valjean faisait volontiers la charité. Un soir que Jean Valjean passait par là, il n'avait pas Cosette avec lui, il aperçut le mendiant à sa place ordinaire sous le réverbère qu'on venait d'allumer. Jean Valjean alla à lui et lui mit dans la main son aumône accoutumée. Le mendiant leva brusquement les yeux, regarda fixement Jean Valjean, puis baissa rapidement la tête. Ce mouvement fut comme un éclair, Jean Valjean eut un tressaillement. Il entra profondément troublé. Il venait de reconnaître Javert.

Quelques jours après, il pouvait être huit heures du soir, il était dans sa chambre et il faisait épeler Cosette à haute voix, il entendit ouvrir, puis refermer la porte de la masure. Cela lui parut singulier. La vieille, qui seule habitait avec lui la maison, se couchait toujours à la nuit pour ne point user de chandelle. Jean Valjean fit signe à Cosette de se taire. Il entendit qu'on montait l'escalier. Le pas était lourd et sonnait comme le pas d'un homme ; cependant Jean Valjean souffla sa chandelle.

À sept heures du matin, quand la vieille vint faire le ménage, Jean Valjean lui jeta un coup d'œil pénétrant, mais il ne l'interrogea pas. La bonne femme était comme à l'ordinaire.

Tout en balayant, elle lui dit :

— Monsieur a peut-être entendu quelqu'un qui entrait cette nuit ?

— À propos, c'est vrai, répondit-il de l'accent le plus naturel. Qui était-ce donc ?

— C'est un nouveau locataire, dit la vieille, qu'il y a dans la maison.

— Et qui s'appelle ?

La vieille le considéra avec ses petits yeux de fouine, et répondit :

— Un rentier comme vous.

Quand la vieille fut partie, il fit un rouleau d'une centaine de francs qu'il avait dans une armoire et le mit dans sa poche. Quelque précaution qu'il prît dans cette opération pour qu'on ne l'entendît pas remuer de l'argent, une pièce de cent sous lui échappa des mains et roula bruyamment sur le carreau.

À la brune[87], il descendit et regarda avec attention de tous les côtés sur le boulevard. Il n'y vit personne. Le boulevard semblait absolument désert.

---

87. À la tombée de la nuit.

Il remonta.

— Viens, dit-il à Cosette.

Il la prit par la main et ils sortirent tous deux.

Javert venait de retrouver la trace de Jean Valjean.

6

L'homme au grelot

Jean Valjean avait tout de suite quitté le boulevard et s'était engagé dans les rues, faisant le plus de lignes brisées qu'il pouvait, revenant quelquefois sur ses pas pour s'assurer qu'il n'était point suivi.

Il gagna le pont d'Austerlitz.

Le pont franchi, il aperçut quatre ombres qui le suivaient.

Jean Valjean eut le frémissement de la bête reprise.

Il se précipita en avant, plutôt qu'il ne marcha, espérant trouver quelque ruelle latérale. Il arriva à l'angle de la rue Droit-Mur et de la petite rue Picpus. Là un bâtiment s'abaissait au point de n'avoir plus qu'une muraille dessinant un pan coupé fort en retraite. Un tilleul montrait son branchage au-dessus du pan coupé, et le mur était couvert de lierre.

Cosette le considérait sans dire une parole. Jean Valjean la saisit, la mit sur son dos et bientôt ils se retrouvaient dans un jardin. Bien que l'heure fût tardive, Jean Valjean entendit un bruit singulier. C'était comme un grelot qu'on agitait. Ce bruit était dans le jardin. On l'entendait distinctement quoique faiblement. Il regarda et vit qu'il y avait quelqu'un dans le jardin. Cet être paraissait boiter.

Il marcha droit à l'homme. Il avait pris à sa main le rouleau d'argent qui était dans la poche de son gilet.

Cet homme baissait la tête et ne le voyait pas venir. En quelques enjambées, Jean Valjean fut à lui.

Jean Valjean l'aborda en criant :

— Cent francs à gagner, si vous me donnez asile pour cette nuit !

La lune éclairait en plein le visage effaré de Jean Valjean.

— Tiens, c'est vous, père Madeleine ! dit l'homme.

Ce nom, ainsi prononcé, à cette heure obscure, dans ce lieu inconnu, par cet homme inconnu, fit reculer Jean Valjean.

Cependant le bonhomme avait ôté son bonnet, et s'écriait tout tremblant :

— Ah mon Dieu ! comment êtes-vous ici, père Madeleine ? Par où êtes-vous entré, Dieu Jésus ! vous tombez donc du ciel !

— Qui êtes-vous ? et qu'est-ce que c'est que cette maison-ci ? demanda Jean Valjean.

— Ah, pardieu, voilà qui est fort ! s'écria le vieillard, je suis celui que vous avez fait placer ici, et cette maison est celle où vous m'avez fait placer.

Il se tourna, un rayon de lune lui dessina le profil, et Jean Valjean reconnut le vieux Fauchelevent.

— Ah ! dit Jean Valjean, c'est vous ? oui, je vous reconnais.

— C'est bien heureux ! fit le vieux d'un ton de reproche.

— Et que faites-vous ici ? reprit Jean Valjean. Qu'est-ce que c'est que cette maison-ci ?

Les souvenirs revenaient à Jean Valjean. Le hasard, c'est-à-dire la providence, l'avait jeté précisément dans ce couvent du quartier Saint-Antoine où le vieux Fauchelevent, estropié par la chute de sa charrette, avait été admis sur sa recommandation.

— Le couvent du Petit-Picpus ! Vous m'y avez fait placer jardinier.

Jean Valjean s'approcha du vieillard et lui dit d'une voix grave :

— Père Fauchelevent, je vous ai sauvé la vie. Eh bien, vous pouvez faire aujourd'hui pour moi ce que j'ai fait autrefois pour vous.

Fauchelevent prit dans ses vieilles mains ridées et tremblantes les deux robustes mains de Jean Valjean, et fut quelques secondes comme s'il ne pouvait parler. Enfin il s'écria :

— Oh ! ce serait une bénédiction du bon Dieu si je pouvais vous rendre un peu cela ! Moi ! vous sauver la vie ! Monsieur le maire, disposez du vieux bonhomme ! Que voulez-vous que je fasse ? reprit-il.

— Je vous expliquerai cela. Vous avez une chambre ?

— J'ai une baraque isolée, là, derrière la ruine du vieux couvent, dans un recoin que personne ne voit. Il y a trois chambres.

— Bien, dit Jean Valjean. Maintenant je vous demande deux choses. Premièrement, vous ne direz à personne ce que vous savez de moi. Deuxièmement, vous ne chercherez pas à en savoir davantage.

— Ça vous regarde. Je suis à vous.

Moins d'une demi-heure après, Cosette, redevenue rose à la flamme d'un bon feu, dormait dans le lit du vieux jardinier.

Fauchelevent avait ôté sa genouillère à clochette qui, maintenant accrochée à un clou près d'une hotte, ornait le mur. La règle du couvent interdisant la présence d'un homme, la clochette que portait le jardinier avertissait les sœurs d'avoir à l'éviter.

7

De la manière d'entrer au couvent

Ce couvent du 62 de la petite rue Picpus qui, en 1824, existait depuis de longues années était une communauté de bernardines[88]. Il y avait dans cette enceinte du Petit-Picpus trois bâtiments parfaitement distincts, le grand couvent qu'habitaient les religieuses, le pensionnat où logeaient les élèves, et enfin ce qu'on appelait le petit couvent, un corps de logis avec jardin.

C'est dans cette maison que Jean Valjean était, comme avait dit Fauchelevent, « tombé du ciel ».

Une fois Cosette couchée, Jean Valjean et Fauchelevent avaient soupé d'un verre de vin et d'un morceau de fromage devant un bon fagot flambant ; puis, le seul lit qu'il y eût dans la baraque étant occupé par Cosette, ils s'étaient jetés chacun sur une botte de paille. Avant de fermer les yeux, Jean Valjean avait dit : Il faut désormais que je reste ici. Cette parole avait trotté toute la nuit dans la tête de Fauchelevent.

---

88. Religieuses de l'ordre de Saint-Benoît.

Au point du jour, ayant énormément songé, le père Fauchelevent ouvrit les yeux et vit M. Madeleine qui, assis sur sa botte de paille, regardait Cosette dormir.

— Maintenant que vous êtes ici, comment allez-vous faire pour y entrer ?

Ce mot réveilla Jean Valjean de sa rêverie.

— D'abord, dit Fauchelevent, vous allez commencer par ne pas mettre les pieds hors de cette chambre, la petite ni vous. Un pas dans le jardin, nous sommes flambés[89].

— C'est juste.

— Monsieur Madeleine, reprit Fauchelevent, vous êtes arrivé dans un moment très bon, je veux dire très mauvais, il y a une de ces dames fort malade. Il paraît qu'elle se meurt. On dit des prières de quarante heures. Toute la communauté est en l'air. Ça les occupe. Celle qui est en train de s'en aller est une sainte. Mais il y a les petites.

— Quelles petites ? demanda Jean Valjean.

Comme Fauchelevent ouvrait la bouche pour expliquer le mot qu'il venait de prononcer, une cloche sonna un coup.

— La religieuse est morte, dit-il. Voici le glas. La cloche va continuer de minute en minute pendant vingt-quatre heures jusqu'à la sortie du corps de l'église. Voyez-vous, ça joue. C'est des diables, ces chérubins-là.

— Je comprends, père Fauchelevent. Il y a des pensionnaires.

— Pardine ! s'il y a des petites filles ! Et qui piailleraient autour de vous ! et qui se sauveraient ! Ici, être homme, c'est avoir la peste. Vous voyez bien qu'on m'attache un grelot à la patte comme à une bête féroce.

Jean Valjean songeait de plus en plus profondément.

---

89. Perdus.

— Oui, le difficile, c'est de rester.

— Non, dit Fauchelevent, c'est de sortir. Oui, monsieur Madeleine, pour rentrer, il faut que vous sortiez.

Tout à coup on entendit une sonnerie assez compliquée d'une autre cloche.

— Ah ! dit Fauchelevent, on sonne les mères vocales[90]. Elles vont au chapitre[91]. Mais est-ce que vous ne pourriez pas sortir par où vous êtes entré ?

Jean Valjean devint pâle. Il se figurait Javert peut-être au coin du carrefour.

— Impossible ! dit-il. Père Fauchelevent, mettez que je suis tombé de là-haut.

— Mais je le crois, je le crois, repartit Fauchelevent. Vous n'avez pas besoin de me le dire. Comment se nomme votre petite ?

— Cosette.

— C'est votre fille ? comme qui dirait : vous seriez son grand-père ?

— Oui.

— Pour elle, sortir d'ici, ce sera facile. J'ai ma porte de service qui donne sur la cour. Je cogne. Le portier ouvre. J'ai ma hotte sur le dos, la petite est dedans. Je sors. Je la déposerai le temps qu'il faudra chez une vieille bonne amie de fruitière[92] que j'ai rue du Chemin-Vert, qui est sourde et où il y a un petit lit. Puis la petite rentrera avec vous. Car je vous ferai entrer. Il le faudra bien. Mais vous, comment ferez-vous pour sortir ?

Fauchelevent se grattait le bas de l'oreille avec le médius de la main gauche, signe de sérieux embarras.

---

90. Religieuses qui chantent à l'office.
91. Assemblée de religieuses.
92. Ici, marchande de fruits.

Une troisième sonnerie fit diversion.

— Voici le médecin des morts qui s'en va, dit Fauchelevent. Quand le médecin a visé le passeport pour le paradis, les pompes funèbres envoient une bière[93]. Après quoi, je cloue. Cela fait partie de mon jardinage. Un jardinier est un peu fossoyeur. Les croque-morts viennent la prendre, et fouette cocher !

Jean Valjean s'était mis à regarder Cosette. Il n'écoutait plus Fauchelevent.

— On fait la fosse au cimetière Vaugirard. On prétend qu'on va le supprimer, ce cimetière Vaugirard.

Une quatrième sonnerie éclata, Fauchelevent détacha vivement du clou la genouillère à grelot et la reboucla à son genou.

— Cette fois, c'est moi. La mère prieure[94] me demande.

Et il sortit de la cahute en disant : On y va ! on y va !

Le jardinier fit un salut craintif, et resta sur le seuil de la cellule. La prieure, mère Innocente qui égrenait son rosaire[95], leva les yeux et dit :

— Ah ! c'est vous, père Fauvent.

Cette abréviation avait été adoptée dans le couvent.

— Père Fauvent, je vous ai fait appeler. J'ai à vous parler.

— Et moi, de mon côté, dit Fauchelevent avec une hardiesse dont il avait peur intérieurement, j'ai quelque chose à dire à la très révérende mère.

La prieure le regarda.

— Eh bien, parlez.

---

93. Cercueil.
94. Supérieure d'un prieuré.
95. Chapelet que l'on égrène en récitant des prières.

Le bonhomme, avec l'assurance de celui qui se sent apprécié, parla longuement de son âge, de ses infirmités, des exigences croissantes du travail, de la grandeur du jardin, il finit par aboutir à ceci : qu'il avait un frère, un frère point jeune, que, si on le voulait bien, ce frère pourrait venir loger avec lui et l'aider, qu'il était excellent jardinier, que, autrement, si l'on n'admettait point son frère, comme lui, l'aîné, il se sentait cassé, et insuffisant à la besogne, il serait, avec bien du regret, obligé de s'en aller ; et que son frère avait une petite fille qu'il amènerait avec lui, qui s'élèverait en Dieu dans la maison, et qui peut-être, qui sait ? ferait une religieuse un jour.

Quand il eut fini de parler, la prieure interrompit le glissement de son rosaire entre ses doigts, et lui dit :

— Pourriez-vous, d'ici à ce soir, vous procurer une forte barre de fer ?

— Pour quoi faire ?

— Pour servir de levier. Vous savez qu'une mère est morte ce matin. C'est la mère Crucifixion. Une bienheureuse. Il faut obéir aux morts. Être enterrée dans le caveau sous l'autel de la chapelle, ç'a été le vœu suprême de la mère Crucifixion.

— Mais c'est défendu.

— Défendu par les hommes, ordonné par Dieu. Soyez près du maître-autel avec votre barre de fer à onze heures. L'office commence à minuit. Il faut que tout soit fini un bon quart d'heure auparavant.

— Je ferai tout pour prouver mon zèle à la communauté. Voilà qui est dit. Je clouerai le cercueil. À onze heures précises je serai dans la chapelle. J'aurai mon levier. Nous ouvrirons le caveau, nous descendrons le cercueil, et nous refermerons le caveau. Après quoi, plus trace de rien. Le gouvernement ne s'en doutera pas. Révérende mère, tout est arrangé ainsi ?

— Non.

— Qu'y a-t-il donc encore ?

— Il reste la bière vide.

Ceci fit un temps d'arrêt. Fauchelevent songeait. La prieure songeait.

— Père Fauvent, que fera-t-on de la bière ?

— On la portera en terre.

— Vide ?

— Révérende mère, je mettrai de la terre dans la bière. Cela fera l'effet de quelqu'un. J'en fais mon affaire.

Le visage de la prieure, jusqu'alors trouble et obscur, se rasséréna[96]. Elle lui fit le signe du supérieur congédiant l'inférieur. Fauchelevent se dirigea vers la porte. Comme il allait sortir, la prieure éleva doucement la voix.

— Père Fauvent, je suis contente de vous ; demain, après l'enterrement, amenez-moi votre frère, et dites-lui qu'il m'amène sa fille.

---

96. S'apaisa.

8

Où Jean Valjean se fait enterrer vivant

Au bruit de Fauchelevent poussant la porte, Jean Valjean se retourna.

— Eh bien ?

— Tout est arrangé, et rien ne l'est, dit Fauchelevent. J'ai permission de vous faire entrer ; mais avant de vous faire entrer, il faut vous faire sortir. Il y a une autre chose qui me tourmente. J'ai dit que j'y mettrais de la terre. Ça n'ira pas, ça se déplacera, ça remuera. Les hommes le sentiront. Vous comprenez, père Madeleine, le gouvernement s'en apercevra.

Jean Valjean le considéra entre les deux yeux, et crut qu'il délirait.

Fauchelevent reprit :

— Comment diantre allez-vous sortir ? C'est qu'il faut que tout cela soit fait demain ! C'est demain que je vous amène. La prieure vous attend.

Alors il expliqua à Jean Valjean que c'était une récompense pour un service que lui, Fauchelevent, rendait à la communauté. Que son frère, c'était M. Madeleine, et que sa nièce c'était Cosette. Que la prieure lui avait dit d'amener son frère le lendemain soir, après l'enterrement postiche au cimetière. Mais qu'il ne pouvait pas amener du dehors M. Madeleine, si M. Madeleine n'était pas dehors. Que c'était là le premier embarras. Et puis qu'il avait encore un embarras, la bière vide.

— Mettez-y quelque chose.

— Quoi donc ?

— Moi, dit Jean Valjean.

Fauchelevent, qui s'était assis, se leva comme si un pétard fût parti sous sa chaise.

— Vous !

— Pourquoi pas ?

Jean Valjean poursuivit :

— Il s'agit de sortir d'ici sans être vu. C'est un moyen.

Fauchelevent, un peu revenu à lui, s'écria :

— Mais comment ferez-vous pour respirer ?

— Je respirerai.

— Dans cette boîte ! Moi, seulement d'y penser, je suffoque.

— Vous avez bien une vrille, vous ferez quelques petits trous autour de la bouche çà et là, et vous clouerez sans serrer la planche de dessus.

— Bon ! et s'il vous arrive de tousser ou d'éternuer ?

— Celui qui s'évade ne tousse pas et n'éternue pas. La seule chose qui m'inquiète, c'est ce qui se passera au cimetière.

— C'est justement cela qui ne m'embarrasse pas, s'écria Fauchelevent. Si vous êtes sûr de vous tirer de la bière, moi je suis sûr de vous tirer de la fosse. Le fossoyeur est un ivrogne de mes amis.

Le soleil n'était pas encore couché quand, le lendemain, le corbillard au drap blanc et à la croix noire entra dans l'avenue du cimetière Vaugirard. L'homme boiteux qui le suivait n'était autre que Fauchelevent.

L'enterrement de la mère Crucifixion dans le caveau sous l'autel, la sortie de Cosette, l'introduction de Jean Valjean dans la salle des mortes, tout s'était exécuté sans encombre.

Le corbillard s'arrêta.

L'enfant de chœur descendit de la voiture drapée, puis le prêtre.

Qui était dans la bière ? On le sait, Jean Valjean.

Jean Valjean s'était arrangé pour vivre là-dedans, et il respirait à peu près.

Brusquement il sentit que des mains saisissaient la bière, puis un frottement rauque sur les planches ; il se rendit compte que c'était une corde qu'on nouait autour du cercueil pour le descendre dans l'excavation.

Puis il eut une espèce d'étourdissement.

Tout à coup il entendit sur sa tête un bruit qui lui sembla la chute du tonnerre.

C'était une pelletée de terre qui tombait sur le cercueil.

Une seconde pelletée de terre tomba.

Un des trous par où il respirait venait de se boucher.

Une troisième pelletée de terre tomba.

Puis une quatrième.

Voici ce qui se passait au-dessus de la bière où était Jean Valjean.

Quand le corbillard se fut éloigné, quand le prêtre et l'enfant de chœur furent remontés en voiture et partis, Fauchelevent, qui ne quittait pas des yeux le fossoyeur, le vit se pencher et empoigner sa pelle.

Alors Fauchelevent prit une résolution suprême.

Il se plaça entre la fosse et le fossoyeur, croisa les bras, et dit :

— C'est moi qui paye !

Le fossoyeur le regarda avec étonnement, et répondit :

— Quoi, paysan ?

Et il jeta une pelletée de terre sur le cercueil.

Fauchelevent continua :

— Écoutez-moi, camarade. Je suis le fossoyeur du couvent, je viens pour vous aider. C'est une besogne qui peut se faire la nuit. Commençons donc par aller boire un coup.

— Provincial, dit le fossoyeur, si vous le voulez absolument, j'y consens. Nous boirons. Après l'ouvrage, jamais avant.

Et il lança la seconde pelletée.

Fauchelevent arrivait à ce moment où l'on ne sait plus ce qu'on dit.

— Mais venez donc boire, cria-t-il, puisque c'est moi qui paye !

Le fossoyeur jeta la troisième pelletée.

Puis il enfonça la pelle dans la terre.

En ce moment, tout en chargeant sa pelle, le fossoyeur se courbait, et la poche de sa veste bâillait.

Le regard égaré de Fauchelevent tomba machinalement dans cette poche, et s'y arrêta.

Le soleil n'était pas encore caché par l'horizon ; il faisait assez de jour pour qu'on pût distinguer quelque chose de blanc au fond de cette poche.

Sans que le fossoyeur, tout à sa pelletée de terre, s'en aperçût, Fauchelevent lui plongea par-derrière la main dans la poche, et retira de cette poche la chose blanche qui était au fond.

Le fossoyeur envoya dans la fosse la quatrième pelletée.

Au moment où il se retournait pour prendre la cinquième, Fauchelevent le regarda avec un profond calme et lui dit :

— À propos, avez-vous votre carte ?

Le fossoyeur s'interrompit :

— Quelle carte ?

— La grille du cimetière va se fermer.

— Eh bien, après ?

— Avez-vous votre carte ?

— Ah, ma carte ! dit le fossoyeur.

Et il fouilla dans sa poche.

Une poche fouillée, il fouilla l'autre.

— Mais non, dit-il, je n'ai pas ma carte. Je l'aurai oubliée.

— Quinze francs d'amende, dit Fauchelevent.

Le fossoyeur devint vert.

— Ah Jésus-mon-Dieu-bancroche-à-bas-lune ! s'écria-t-il. Quinze francs d'amende !

Le fossoyeur laissa tomber sa pelle.

Le tour de Fauchelevent était venu.

— Ah çà, dit Fauchelevent, pas de désespoir. Je vais vous donner un conseil d'ami. Une chose est claire, c'est que le soleil se couche, le cimetière va fermer dans cinq minutes.

— C'est vrai, répondit le fossoyeur.

— D'ici à cinq minutes, vous n'avez pas le temps de remplir la fosse et d'arriver à temps pour sortir avant que la grille soit fermée.

— C'est juste.

— Mais vous avez le temps... Où demeurez-vous ?

— À un quart d'heure d'ici.

— Vous avez le temps, en pendant vos guiboles à votre cou, de sortir tout de suite. Une fois hors de la grille, vous galopez chez vous, vous prenez votre carte, vous revenez, le portier du cimetière vous ouvre. Ayant votre carte, rien à payer. Et vous enterrez votre mort. Moi, je vais vous le garder en attendant pour qu'il ne se sauve pas.

Quand le fossoyeur eut disparu dans le fourré, Fauchelevent se pencha vers la fosse et dit à demi-voix :

— Père Madeleine !

Rien ne répondit.

Fauchelevent se laissa rouler dans la fosse plutôt qu'il n'y descendit, se jeta sur la tête du cercueil, prit son ciseau à froid et son marteau, et fit sauter la planche de dessus. La face de Jean Valjean apparut dans le crépuscule, les yeux fermés, pâle.

Fauchelevent murmura d'une voix basse comme un souffle :

— Il est mort !

On entendit au loin dans les arbres un grincement aigu. C'était la grille du cimetière qui se fermait.

Fauchelevent se pencha sur Jean Valjean et tout à coup eut une sorte de rebondissement et tout le recul qu'on peut avoir dans une fosse. Jean Valjean avait les yeux ouverts et le regardait.

— Je m'endormais, dit Jean Valjean.

Jean Valjean n'était qu'évanoui. Le grand air l'avait réveillé.

9

Interrogatoire réussi

Le lendemain, par la nuit noire, deux hommes et un enfant se présentaient au numéro 62 de la petite rue Picpus. Le plus vieux de ces hommes levait le marteau et frappait.

C'étaient Fauchelevent, Jean Valjean et Cosette.

Les deux bonshommes étaient allés chercher Cosette chez la fruitière de la rue du Chemin-Vert où Fauchelevent l'avait déposée la veille.

Fauchelevent était du couvent et savait les mots de passe. Toutes les portes s'ouvrirent.

Ainsi fut résolu le double et effrayant problème : sortir et entrer.

La prieure, son rosaire à la main, les attendait. Une mère vocale, le voile bas, était debout près d'elle. Une chandelle discrète éclairait le parloir.

La prieure passa en revue Jean Valjean. Rien n'examine comme un œil baissé.

Puis elle le questionna :

— C'est vous le frère ?

— Oui, révérende mère, répondit Fauchelevent.

— Comment vous appelez-vous ?

— Ultime Fauchelevent.

Il avait eu en effet un frère nommé Ultime qui était mort.

— Quel âge avez-vous ?

— Cinquante ans.

— Quel est votre état ?

— Jardinier.

— Êtes-vous bon chrétien ?

— Tout le monde l'est dans la famille.

— Cette petite est à vous ?

— Oui, révérende mère. Je suis son grand-père.

La mère vocale dit à la prieure à demi-voix :

— Il répond bien.

Jean Valjean n'avait pas prononcé un mot.

La prieure regarda Cosette avec attention et dit à demi-voix à la mère vocale :

— Elle sera laide. Père Fauvent, vous aurez une autre genouillère avec grelot. Il en faut deux maintenant.

Le lendemain on entendait deux grelots et on voyait dans le jardin deux hommes bêcher côte à côte.

Désormais, Jean Valjean s'appelait Ultime Fauchelevent.

Cosette, en devenant pensionnaire du couvent, dut prendre l'habit des élèves de la maison. Jean Valjean obtint qu'on lui remît les vêtements qu'elle dépouillait[97]. C'était ce même habillement de deuil qu'il lui avait fait revêtir lorsqu'elle avait quitté la gargote Thénardier.

Le père Fauchelevent fut récompensé de sa bonne action ; d'abord il en fut heureux ; puis il eut beaucoup moins de besogne, la partageant. Enfin comme il aimait beaucoup le tabac, il trouvait à la présence de M. Madeleine cet avantage qu'il prenait trois fois plus de tabac que par le passé, et d'une manière infiniment plus voluptueuse, attendu que M. Madeleine le lui payait.

Les religieuses n'adoptèrent point le nom d'Ultime ; elles appelèrent Jean Valjean *l'autre Fauvent*.

Ce couvent était pour Jean Valjean comme une île entourée de gouffres. Ces quatre murs étaient désormais le monde pour lui. Il y voyait le ciel assez pour être serein et Cosette assez pour être heureux.

Une vie très douce recommença pour lui.

_____

97. Dont elle se séparait.

Troisième partie

Marius

1

Le petit Gavroche

Huit ou neuf ans après les événements que nous venons de raconter on remarquait sur le boulevard du Temple un petit garçon de onze à douze ans qui eût assez correctement réalisé l'idéal du gamin de Paris. Cet enfant était affublé d'un pantalon d'homme, mais il ne le tenait pas de son père, et d'une camisole[98] de femme, mais il ne la tenait pas de sa mère. Des gens quelconques l'avaient habillé de chiffons par charité. Pourtant il avait un père et une mère. Mais son père ne songeait pas à lui et sa mère ne l'aimait point. C'était un de ces enfants dignes de pitié entre tous qui ont père et mère et qui sont orphelins.

Cet enfant ne se sentait jamais si bien que dans la rue. Le pavé lui était moins dur que le cœur de sa mère.

Ses parents l'avaient jeté dans la vie d'un coup de pied.

C'était un garçon bruyant, blême, leste, éveillé, goguenard, à l'air vivace et maladif. Il allait, venait, chantait, jouait, riait quand on l'appelait galopin, se fâchait quand

_____

98. Chemise.

on l'appelait voyou. Il n'avait pas de gîte, pas de pain, pas de feu, pas d'amour ; mais il était joyeux parce qu'il était libre.

Pourtant, si abandonné que fût cet enfant, il arrivait parfois, tous les deux ou trois mois, qu'il disait : Tiens, je vais voir maman ! Alors il quittait le boulevard, descendait aux quais, passait les ponts, gagnait les faubourgs, atteignait la Salpêtrière, et arrivait où ? Précisément à ce double numéro 50-52, à la masure Gorbeau.

La « principale locataire » du temps de Jean Valjean était morte et avait été remplacée par une toute pareille, Mme Burgon.

Les plus misérables entre ceux qui habitaient la masure étaient une famille de quatre personnes, le père, la mère et deux filles déjà assez grandes. Le père en louant la chambre avait dit s'appeler Jondrette.

Cette famille était la famille du joyeux va-nu-pieds. Il y arrivait et il y trouvait la pauvreté, la détresse, et, ce qui est plus triste, aucun sourire ; le froid dans l'âtre et le froid dans les cœurs.

Du reste sa mère aimait ses sœurs.

Nous avons oublié de dire que sur le boulevard du Temple on nommait cet enfant le petit Gavroche. Pourquoi s'appelait-il Gavroche ? Probablement parce que son père s'appelait Jondrette.

La chambre que les Jondrette habitaient dans la masure Gorbeau était la dernière au bout du corridor. La cellule d'à côté était occupée par un jeune homme très pauvre qu'on nommait M. Marius.

2

Le brigand de la Loire

En 1831 demeurait au Marais, rue des Filles-du-Calvaire n° 6, M. Gillenormand. La maison était à lui. Il était un de ces hommes devenus curieux à voir uniquement à cause qu'ils ont longtemps vécu, et qui sont étranges parce qu'ils ont jadis ressemblé à tout le monde et que maintenant ils ne ressemblent plus à personne. C'était un vieillard particulier, le vrai bourgeois complet et un peu hautain du XVIIIᵉ siècle. Il avait dépassé quatre-vingt-dix ans, marchait droit, parlait haut, voyait clair, buvait sec, mangeait, dormait et ronflait. Il avait ses trente-deux dents. Il ne mettait de lunettes que pour lire.

Un jour on apporta chez lui, dans une bourriche[99], un gros garçon nouveau-né, criant le diable et dûment emmitouflé de langes, qu'une servante chassée six mois auparavant lui attribuait. M. Gillenormand avait alors ses parfaits quatre-vingt-quatre ans. Indignation et clameur dans l'entourage. M. Gillenormand, lui, n'eut aucune colère. Il

---

99. Cageot de gibier ou d'huîtres.

regarda le maillot avec l'aimable sourire d'un bonhomme flatté de la calomnie, et dit à la cantonade : – Eh bien, quoi ? qu'est-ce ? qu'y a-t-il ? vous vous ébahissez bellement. Ces choses-là n'ont rien que d'ordinaire. Sur ce, je déclare que ce petit monsieur n'est pas de moi. Qu'on en prenne soin. Ce n'est pas sa faute. – Le procédé était débonnaire[100]. La créature, celle-là qui se nommait Magnon, lui fit un deuxième envoi l'année d'après. C'était encore un garçon. Pour le coup M. Gillenormand capitula. Il remit à la mère les deux mioches, s'engageant à payer pour leur entretien quatre-vingts francs par mois, à la condition que ladite mère ne recommencerait plus.

M. Gillenormand avait eu deux femmes ; de la première une fille qui était restée fille et qui vivait avec lui, et de la seconde une autre fille, morte vers l'âge de trente ans, laquelle avait épousé par amour ou par hasard un soldat de fortune, Georges Pontmercy, qui avait servi dans les armées de la République et de l'Empire, avait eu la croix à Austerlitz et avait été fait colonel à Waterloo. C'est la *honte de ma famille,* disait le vieux bourgeois.

Il y avait en outre dans la maison, entre cette vieille fille et ce vieillard, un enfant, un petit garçon toujours tremblant et muet devant M. Gillenormand. M. Gillenormand ne parlait jamais à cet enfant que d'une voix sévère et quelquefois la canne levée : – *Ici ! monsieur ! – Maroufle, polisson, approchez ! – Répondez, drôle ! – Que je vous voie, vaurien !* etc., etc. Il l'idolâtrait.

C'était son petit-fils. Lorsqu'il parlait du père de cet enfant, il l'appelait le brigand de la Loire.

---

100. Plein de bonté.

Quelqu'un qui aurait passé à cette époque dans la petite ville de Vernon aurait pu remarquer un homme d'une cinquantaine d'années coiffé d'une casquette de cuir, vêtu d'un pantalon et d'une veste de gros drap gris, chaussé de sabots, les cheveux presque blancs, une large cicatrice sur le front, courbé, voûté, vieilli avant l'âge, se promenant à peu près tous les jours, une bêche et une serpe à la main, dans un charmant enclos plein de fleurs. C'était le brigand de la Loire.

Quelqu'un qui, dans le même temps, aurait lu les bulletins de la Grande Armée aurait pu être frappé d'un nom qui y revient assez souvent, le nom de Georges Pontmercy. Tout jeune, ce Georges Pontmercy était soldat au régiment de Saintonge.

Il s'illustra dans de nombreuses batailles. À Waterloo, ce fut lui qui prit le drapeau du bataillon de Lunebourg. Il vint jeter le drapeau aux pieds de l'Empereur. Il était couvert de sang. Il avait reçu, en arrachant le drapeau, un coup de sabre à travers le visage. L'Empereur, content, lui cria : *Pontmercy, tu es colonel, tu es baron, tu es officier de la Légion d'honneur !* Une heure après, il tombait dans le ravin d'Ohain où devait le découvrir Thénardier.

Le petit-fils de M. Gillenormand, qui s'appelait Marius, savait qu'il avait un père, mais rien de plus, Personne ne lui en ouvrait la bouche.

Pendant qu'il grandissait ainsi, tous les deux ou trois mois le colonel s'échappait, venait furtivement à Paris comme un repris de justice qui rompt son ban[101] et allait se poster à Saint-Sulpice, à l'heure où la tante Gillenormand menait Marius à la messe. Là, tremblant que la tante ne se retournât, caché derrière un pilier, immobile, n'osant

---

101. Qui s'évade.

respirer, il regardait son enfant. Ce balafré avait peur de cette vieille fille.

Deux fois par an, au 1er janvier et à la Saint-Georges, Marius écrivait à son père des lettres de devoir que sa tante dictait, et qu'on eût dit copiées dans quelque formulaire ; c'était tout ce que tolérait M. Gillenormand ; et le père répondait des lettres fort tendres que l'aïeul fourrait dans sa poche sans les lire.

Marius Pontmercy fit comme tous les enfants des études quelconques. Quand il sortit des mains de la tante Gillenormand, son grand-père le confia à un digne professeur, Marius eut ses années de collège, puis il entra à l'école de droit. Il était royaliste, fanatique et austère. Il aimait peu son grand-père dont la gaîté et le cynisme le froissaient, et il était sombre à l'endroit de son père.

C'était du reste un garçon ardent et froid, noble, généreux, fier, religieux exalté.

En 1827, Marius venait d'atteindre ses dix-sept ans. Comme il rentrait un soir, il vit son grand-père qui tenait une lettre à la main.

— Marius, dit M. Gillenormand, tu partiras demain pour Vernon.

— Pourquoi ? dit Marius.

— Pour voir ton père, il est malade. Il te demande.

Marius eut un tremblement. Il avait songé à tout, excepté à ceci.

Marius était convaincu que son père, le sabreur, comme l'appelait M. Gillenormand dans ses jours de douceur, ne l'aimait pas ; cela était évident, puisqu'il l'avait abandonné ainsi et laissé à d'autres. Ne se sentant point aimé, il n'aimait point.

Le lendemain, à la brune, Marius arrivait à Vernon. Les chandelles commençaient à s'allumer. Il demanda au premier passant venu *la maison de monsieur Pontmercy*.

On lui indiqua le logis. Il sonna. Une femme vint lui ouvrir, une petite lampe à la main.

— Pourrais-je parler au colonel Pontmercy ? demanda Marius, je suis son fils. Il m'attend.

— Il ne vous attend plus, dit la femme.

Alors il s'aperçut qu'elle pleurait. Elle lui désigna du doigt la porte d'une salle basse, il entra.

Dans cette salle qu'éclairait une chandelle de suif posée sur la cheminée, il y avait trois hommes, un qui était debout, un qui était à genoux, et un qui était à terre en chemise couché tout de son long sur le carreau. Celui qui était à terre était le colonel.

Les deux autres étaient un médecin et un prêtre qui priait.

Marius considéra ce visage vénérable et mâle. Il songea que cet homme était son père et que cet homme était mort, et il resta froid.

Le colonel ne laissait rien. La vente du mobilier paya à peine l'enterrement. La servante trouva un chiffon de papier qu'elle remit à Marius. Il y avait ceci, écrit de la main du colonel :

« *Pour mon fils*. L'empereur m'a fait baron sur le champ de bataille de Waterloo. Puisque la restauration[102] me conteste ce titre que j'ai payé de mon sang, mon fils le prendra et le portera. Il va sans dire qu'il en sera digne. »

Derrière, le colonel avait ajouté :

« À cette même bataille de Waterloo, un sergent m'a sauvé la vie. Cet homme s'appelle Thénardier. Dans ces

---

102. Régime politique (monarchique) qui suivit la chute de Napoléon.

derniers temps, je crois qu'il tenait une petite auberge dans un village des environs de Paris, à Chelles ou à Montfermeil. Si mon fils le rencontre, il fera à Thénardier tout le bien qu'il pourra. »

Marius prit ce papier et le serra.

Marius n'était demeuré que quarante-huit heures à Vernon. Après l'enterrement, il était revenu à Paris et s'était remis à son droit.

Marius avait un crêpe[103] à son chapeau. Voilà tout.

---

103. Morceau de tissu noir qu'on porte en signe de deuil.

3

Comment on devient républicain

Un dimanche, Marius était allé entendre la messe à Saint-Sulpice, à cette même chapelle de la vierge où sa tante le tenait quand il était petit. Étant ce jour-là distrait et rêveur plus qu'à l'ordinaire, il s'était placé derrière un pilier et agenouillé, sans y faire attention, sur une chaise en velours d'Utrecht, au dossier de laquelle était écrit ce nom : *M. Mabeuf, marguillier*[104]. La messe commençait à peine qu'un vieillard se présenta et dit à Marius :

— Monsieur, c'est ma place. Voyez-vous, je tiens à cette place. Pourquoi ? Je vais vous le dire. C'est à cette place-là que j'ai vu venir pendant dix années, régulièrement, un pauvre brave père qui n'avait pas d'autre manière de voir son enfant, parce que, pour des arrangements de famille, on l'en empêchait. Le petit ne se doutait pas que son père était là. Le père, lui, se tenait derrière un pilier pour qu'on ne le vît pas. Il regardait son enfant, et il pleurait. Il avait un beau-père, une tante riche, qui menaçaient de déshériter

---

104. Membre du conseil d'une paroisse.

l'enfant si, lui, le père, il le voyait. Il s'était sacrifié pour que son fils fût riche un jour et heureux. On l'en séparait pour opinion politique parce qu'il avait été à Waterloo, ce n'est pas un monstre ; on ne sépare point pour cela un père de son enfant. C'était un colonel de Bonaparte. Il est mort, je crois. Il demeurait à Vernon et il s'appelait quelque chose comme Pontmarie ou Montpercy...

— Pontmercy ? dit Marius en pâlissant.

— Précisément. Pontmercy. Est-ce que vous l'avez connu ?

— Monsieur, dit Marius, c'était mon père.

Marius lut toutes les histoires de la République et de l'Empire, tous les mémoires, les journaux, les bulletins, les proclamations ; il dévora tout. La première fois qu'il rencontra le nom de son père dans les bulletins de la Grande Armée, il en eut la fièvre toute une semaine. Il alla voir les généraux sous lesquels Georges Pontmercy avait servi. Marius arriva à connaître pleinement cet homme rare, sublime et doux, cette espèce de lion-agneau qui avait été son père.

En même temps un changement extraordinaire se faisait dans ses idées. De la réhabilitation de son père il avait naturellement passé à la réhabilitation de Napoléon.

Toutes ces révolutions s'accomplissaient en lui sans que sa famille s'en doutât.

Quand, dans ce mystérieux travail, il eut tout à fait perdu son ancienne peau de royaliste, lorsqu'il fut pleinement révolutionnaire et presque républicain, il alla chez un graveur du quai des Orfèvres et y commanda cent cartes portant ce nom : *Le baron Marius Pontmercy.*

Par une autre conséquence naturelle, à mesure qu'il se rapprochait de son père, de sa mémoire, et des choses pour lesquelles le colonel avait combattu vingt-cinq ans, il s'éloignait de son grand-père.

À force de piété pour son père, Marius en était presque venu à l'aversion pour son aïeul.

Marius faisait de temps en temps quelques absences.

— Où va-t-il donc comme cela ? demandait la tante.

— C'est quelque amourette, disait le grand-père.

Dans un de ces voyages, toujours très courts, il était allé à Montfermeil pour obéir à l'indication que son père lui avait laissée, et il avait cherché l'ancien sergent de Waterloo, l'aubergiste Thénardier. Thénardier avait fait faillite, l'auberge était fermée, et l'on ne savait ce qu'il était devenu. Pour ces recherches, Marius fut quatre jours hors de la maison.

Quand Marius revint à Paris il ne prit que le temps de quitter sa redingote de voyage et s'en alla au bain.

M. Gillenormand, levé de bonne heure, l'avait entendu rentrer, et s'était hâté d'escalader, le plus vite qu'il avait pu avec ses vieilles jambes, l'escalier des combles où habitait Marius, afin de l'embrasser et de savoir un peu d'où il venait.

Quand le père Gillenormand entra dans la mansarde, Marius n'y était plus.

Le lit n'était pas défait, et sur le lit s'étalait sans défiance la redingote[105].

Et un moment après il fit son entrée dans le salon où était assise Mlle Gillenormand, tenant d'une main la redingote.

— Victoire ! nous allons pénétrer le mystère ! nous allons savoir le fin du fin, nous allons palper les libertinages[106] de notre sournois !

---

105. Long manteau.
106. Fréquentations amoureuses.

Au même moment, un petit paquet carré long enveloppé de papier bleu tomba d'une poche de la redingote. Mlle Gillenormand le ramassa et développa le papier bleu. C'était le cent de cartes de Marius. Elle en passa une à M. Gillenormand qui lut : *Le baron Marius Pontmercy*.

Quelques instants après, Marius parut. Avant même d'avoir franchi le seuil du salon, il aperçut son grand-père qui tenait à la main une de ses cartes et qui, en le voyant, s'écria avec son air de supériorité bourgeoise et ricanante qui était quelque chose d'écrasant :

— Tiens ! tu es baron à présent. Je te fais mon compliment. Qu'est-ce que cela veut dire ?

Marius rougit légèrement, et répondit :

— Cela veut dire que je suis le fils de mon père.

M. Gillenormand cessa de rire et dit durement :

— Ton père, c'est moi.

— Mon père, reprit Marius les yeux baissés et l'air sévère, c'était un homme humble et héroïque qui a glorieusement servi la république et la France, qui a été grand dans la plus grande histoire que les hommes aient jamais faite.

C'était plus que M. Gillenormand n'en pouvait entendre. À ce mot, *la république*, il s'était levé, ou pour mieux dire dressé debout. Chacune des paroles que Marius venait de prononcer avait fait sur le visage du vieux royaliste l'effet des bouffées d'un soufflet de forge sur un tison ardent.

— Marius ! s'écria-t-il. Abominable enfant ! je ne sais pas ce qu'était ton père ! je ne veux pas le savoir ! mais ce que je sais, c'est qu'il n'y a jamais eu que des misérables parmi tous ces gens-là ! entends-tu, Marius ! Vois-tu bien, tu es baron comme ma pantoufle ! C'étaient tous des bandits !

À son tour, c'était Marius qui était le tison, et M. Gillenormand qui était le soufflet. Marius frissonnait dans tous ses membres, sa tête flambait. Il fut quelques instants ivre et chancelant, puis il leva les yeux, regarda fixement son aïeul, et cria d'une voix tonnante :

— À bas les Bourbons[107] !

Le vieillard, d'écarlate qu'il était, devint subitement plus blanc que ses cheveux, et dit d'un ton presque calme :

— Un baron comme monsieur et un bourgeois comme moi ne peuvent rester sous le même toit.

Et tout à coup se redressant, blême, tremblant, terrible, le front agrandi par l'effrayant rayonnement de la colère, il étendit le bras vers Marius et lui cria :

— Va-t'en.

Marius quitta la maison sans dire où il allait, et sans savoir où il allait, avec trente francs, sa montre, et quelques hardes[108] dans un sac de nuit. Il était monté dans un cabriolet de place[109], l'avait pris à l'heure et s'était dirigé à tout hasard vers le pays latin[110].

Qu'allait devenir Marius ?

---

107. Lignée royale au pouvoir en France en 1831.
108. Vieux vêtements.
109. Où l'on paie sa place et non à l'heure.
110. Quartier latin, des étudiants.

4

Les amis de l'A.B.C.

À cette époque, indifférente en apparence, un frisson révolutionnaire courait vaguement. La jeunesse était en train
de muer. On se transformait presque sans s'en douter, par
le mouvement même du temps. Chacun faisait en avant le
pas qu'il avait à faire. Les royalistes devenaient libéraux, les
libéraux devenaient démocrates.

Un groupe de jeunes étudiants avait fondé la Société des
Amis de l'A.B.C. Ils se réunissaient souvent soit au caba-
ret *Corinthe* aux halles, soit au café Musain, place Saint-
Michel. Parmi eux se trouvaient Enjolras, Combeferre,
Jean Prouvaire, Feuilly, Courfeyrac, Bahorel, Lesgle ou
Laigle, Joly, Grantaire.

Qu'était-ce que les amis de l'A.B.C. ? une société ayant
pour but, en apparence, l'éducation des enfants, en réalité
le redressement des hommes.

On se déclarait les amis de l'A.B.C. – L'*Abaissé*, c'était le
peuple. On voulait le relever.

Un certain après-midi Laigle était adossé au chambranle de la porte du café Musain. Il remarqua un cabriolet qui passait, lequel allait au pas, et comme indécis. Il y avait dedans, à côté du cocher, un jeune homme, et devant ce jeune homme un assez gros sac de nuit. Le sac montrait aux passants ce nom écrit en grosses lettres noires sur une carte cousue à l'étoffe : MARIUS PONTMERCY.

Ce nom fit changer d'attitude à Laigle. Il se dressa et jeta cette apostrophe au jeune homme du cabriolet :

— Monsieur Marius Pontmercy !

Le cabriolet interpellé s'arrêta.

— Je vous cherchais, reprit Laigle. Où demeurez-vous ?

— Dans ce cabriolet, dit Marius.

— Signe d'opulence, repartit Laigle avec calme. Je vous félicite. Vous avez là un loyer de neuf mille francs par an.

En ce moment Courfeyrac sortait du café.

Marius sourit tristement.

— Je suis dans ce loyer depuis deux heures et j'aspire à en sortir ; mais je ne sais où aller.

— Monsieur, dit Courfeyrac, venez chez moi.

Courfeyrac monta dans le cabriolet.

— Cocher, dit-il, hôtel de la Porte-Saint-Jacques.

Et le soir même, Marius était installé dans une chambre de l'hôtel de la Porte-Saint-Jacques côte à côte avec Courfeyrac.

En quelques jours, Marius fut l'ami de Courfeyrac.

Un matin pourtant, Courfeyrac lui jeta brusquement cette interrogation :

— À propos, avez-vous une opinion politique ?

— Tiens ! dit Marius, presque offensé de la question.

— Qu'est-ce que vous êtes ?

— Démocrate-bonapartiste.

Le lendemain, Courfeyrac introduisit Marius au café Musain. Puis il lui chuchota à l'oreille avec un sourire :

— Il faut que je vous donne vos entrées dans la révolution.

Et il le mena dans la salle des Amis de l'A.B.C.

5

Marius pauvre

La vie devint sévère pour Marius. Il quitta l'hôtel de la Porte-Saint-Jacques pour la masure Gorbeau.

À force de labeur, de courage, de persévérance et de volonté, il était parvenu à tirer de son travail environ sept cents francs par an. Il avait appris l'allemand et l'anglais. Grâce à Courfeyrac qui l'avait mis en rapport avec son ami le libraire, Marius remplissait dans la littérature-librairie le modeste rôle d'*utilité*. Il faisait des prospectus, traduisait des journaux, annotait des éditions, compilait[111] des biographies, etc. Produit net, bon an, mal an, sept cents francs. Il en vivait. Pas mal. Comment ?

Pour que Marius en vînt à cette situation florissante, il avait fallu des années. Années rudes. Il avait tout subi, en fait de dénuement ; il avait tout fait, excepté des dettes. Pour lui, une dette, c'était le commencement de l'esclavage. Plutôt que d'emprunter il ne mangeait pas. Il avait eu beaucoup de jours de jeûne.

---

111. Assemblait.

À cette époque, Marius avait vingt ans. Il y avait trois ans qu'il avait quitté son grand-père.

Au temps de sa pire misère, il remarquait que les jeunes filles se retournaient quand il passait, et il se sauvait ou se cachait, la mort dans l'âme. Il pensait qu'elles le regardaient pour ses vieux habits et qu'elles en riaient, le fait est qu'elles le regardaient pour sa grâce et qu'elles en rêvaient.

Ce muet malentendu entre lui et les jolies passantes l'avait rendu farouche.

Il y avait pourtant deux femmes que Marius ne fuyait pas et auxquelles il ne prenait point garde. À la vérité on l'eût fort étonné si on lui eût dit que c'étaient des femmes. L'une était la vieille barbue qui balayait sa chambre. L'autre était une espèce de petite fille qu'il voyait très souvent et qu'il ne regardait jamais.

Depuis plus d'un an, Marius remarquait, dans une allée déserte du Luxembourg, un homme et une toute jeune fille presque toujours assis côte à côte sur le même banc, à l'extrémité la plus solitaire de l'allée. Chaque fois que le hasard amenait Marius dans cette allée, et c'était presque tous les jours, il y retrouvait ce couple. L'homme pouvait avoir une soixantaine d'années ; il paraissait triste et sérieux ; toute sa personne offrait cet aspect robuste et fatigué des gens de guerre retirés du service. Il avait les cheveux très blancs.

La première fois que la jeune fille qui l'accompagnait vint s'asseoir avec lui sur le banc qu'ils semblaient avoir adopté, c'était une façon de fille de treize ou quatorze ans, maigre, au point d'en être presque laide, gauche, insignifiante, et qui promettait peut-être d'avoir d'assez beaux yeux. Elle avait cette mise à la fois vieille et enfantine des pensionnaires de couvent ; une robe mal coupée de gros mérinos[112] noir. Ils avaient l'air du père et de la fille.

Ce personnage et cette jeune fille avaient naturellement quelque peu éveillé l'attention des cinq ou six étudiants qui venaient se promener de temps en temps ; les studieux après leurs cours, les autres après leur partie de billard. Courfeyrac, qui était des derniers, les avait observés quelque temps, mais trouvant la fille laide, il s'en était bien vite et soigneusement écarté. Frappé uniquement de la robe de la petite et des cheveux du vieux, il avait appelé la fille *mademoiselle Lanoire* et le père *monsieur Leblanc*, si bien que, personne ne les connaissant, le surnom avait fait loi.

Marius les vit ainsi presque tous les jours à la même heure pendant la première année. Il trouvait l'homme à son gré, mais la fille assez maussade.

La seconde année, Marius fut près de six mois sans mettre les pieds au Luxembourg. Un jour enfin il y retourna. C'était par une sereine matinée d'été.

Il alla droit à « son allée », et, quand il fut au bout, il aperçut, toujours sur le même banc, ce couple connu. Seulement, quand il approcha, c'était bien le même homme ; mais il lui parut que ce n'était plus la même fille. La personne qu'il voyait maintenant était une grande et belle créature ayant toutes les formes les plus charmantes de la femme à ce moment précis où elles se combinent encore avec toutes les grâces les plus naïves de l'enfant.

---

112. Grosse laine.

6

Commencement d'une grande maladie

Un jour, l'air était tiède, le Luxembourg était inondé d'ombre et de soleil. Marius ne pensait à rien, il vivait et il respirait, il passa près de ce banc, la jeune fille leva les yeux sur lui, leurs deux regards se rencontrèrent. Qu'y avait-il cette fois dans le regard de la jeune fille ? Marius n'eût pu le dire. Il n'y avait rien et il y avait tout. Ce fut un étrange éclair.

Elle baissa les yeux, et il continua son chemin.

Ce qu'il venait de voir, ce n'était pas l'œil ingénu[113] et simple d'un enfant, c'était un gouffre mystérieux. Il y a un jour où toute jeune fille regarde ainsi. Malheur à qui se trouve là ! Il est rare qu'une rêverie profonde ne naisse pas de ce regard là où il tombe.

Le lendemain, à l'heure accoutumée, Marius tira de son armoire son habit neuf, son pantalon neuf, son chapeau neuf et ses bottes neuves ; il se revêtit de cette panoplie complète, mit des gants, luxe prodigieux, et s'en alla au Luxembourg.

---

113. Naïf et innocent.

Arrivé au Luxembourg, Marius se dirigea vers « son allée », lentement et comme s'il y allait à regret. On eût dit qu'il était à la fois forcé et empêché d'y aller. Il ne se rendait aucun compte de tout cela, et croyait faire comme tous les jours.

En débouchant dans l'allée, il aperçut à l'autre bout « sur leur banc » M. Leblanc et la jeune fille. Il boutonna son habit jusqu'en haut, le tendit sur son torse pour qu'il ne fît pas de plis, examina avec une certaine complaisance les reflets lustrés de son pantalon et marcha sur le banc.

Il dépassa le banc, alla jusqu'à l'extrémité de l'allée qui était tout proche, puis revint sur ses pas et passa encore devant la belle fille. Cette fois il était très pâle. À nouveau il s'éloigna du banc et de la jeune fille, et s'arrêta vers la moitié de l'allée, et là, chose qu'il ne faisait jamais, il s'assit, jetant des regards de côté.

Au bout d'un quart d'heure il se leva, comme s'il allait recommencer à marcher vers ce banc qu'une auréole entourait. Cependant il restait debout et immobile, la tête baissée et faisant des dessins sur le sable avec une baguette qu'il avait à la main.

Puis il se tourna brusquement du côté opposé au banc, à M. Leblanc et à sa fille, et s'en revint chez lui. Ce jour-là il oublia d'aller dîner.

Une quinzaine s'écoula ainsi. Marius allait au Luxembourg pour s'y asseoir toujours à la même place et sans savoir pourquoi. Arrivé là, il ne remuait plus : elle était décidément d'une beauté merveilleuse.

Un des derniers jours de la seconde semaine, Marius était comme à son ordinaire assis sur son banc, tenant à la main un livre ouvert dont depuis deux heures il n'avait pas tourné une page. Tout à coup il tressaillit. M. Leblanc et

sa fille venaient de quitter leur banc, et tous deux se dirigeaient lentement vers le milieu de l'allée où était Marius.
Marius ferma son livre, puis il le rouvrit, puis il s'efforça de
lire. Il tremblait. La jeune fille passa, et en passant elle le
regarda fixement, avec une douceur pensive. Marius resta
ébloui devant ces prunelles pleines de rayons et d'abîmes.

Il la suivit des yeux jusqu'à ce qu'elle eût disparu. Puis
il se mit à marcher dans le Luxembourg comme un fou. Il
était éperdument amoureux.

Tout un grand mois s'écoula, pendant lequel Marius
alla tous les jours au Luxembourg. L'heure venue, rien ne
pouvait le retenir. Marius vivait dans les ravissements. Il est
certain que la jeune fille le regardait.

Il fallait croire que M. Leblanc finissait par s'apercevoir
de quelque chose, car souvent, lorsque Marius arrivait, il
se levait et se mettait à marcher. Il avait quitté leur place
accoutumée et avait adopté, à l'autre extrémité de l'allée,
le banc voisin du Gladiateur, comme pour voir si Marius
les y suivrait. Marius ne comprit point, et fit cette faute.
Le « père » commença à devenir inexact, et n'amena plus
« sa fille » tous les jours. Quelquefois il venait seul. Alors
Marius ne restait pas. Autre faute.

De la phase de timidité il avait passé à la phase d'aveugle-
ment. Son amour croissait. Il en rêvait toutes les nuits. Et puis
il lui était arrivé un bonheur inespéré. Un soir, à la brune, il
avait trouvé sur le banc que « M. Leblanc et sa fille » venaient
de quitter, un mouchoir tout simple et sans broderie, mais
blanc et fin. Ce mouchoir était marqué des lettres U.F. ; U
était évidemment le prénom. Ursule ! pensa-t-il, quel déli-
cieux nom ! Il baisa le mouchoir, le mit sur son cœur.

Ce mouchoir était au vieux monsieur qui l'avait tout
bonnement laissé tomber de sa poche.

L'appétit vient en aimant. Savoir qu'elle se nommait Ursule, c'était déjà beaucoup ; c'était peu. Marius en trois ou quatre semaines eut dévoré ce bonheur. Il en voulut un autre. Il voulut savoir où elle demeurait.

Il suivit « Ursule ». Elle demeurait rue de l'Ouest, à l'endroit le moins fréquenté, dans une maison neuve à trois étages d'apparence modeste.

À partir de ce moment, Marius ajouta à son bonheur de la voir au Luxembourg le bonheur de la suivre jusque chez elle.

Un jour M. Leblanc et sa fille ne firent au Luxembourg qu'une courte apparition. Ils s'en allèrent qu'il faisait grand jour. Marius les suivit rue de l'Ouest comme il en avait pris l'habitude. En arrivant à la porte cochère, M. Leblanc fit passer sa fille devant, puis s'arrêta avant de franchir le seuil, se retourna et regarda Marius fixement.

Le jour d'après, ils ne vinrent pas au Luxembourg. Marius attendit en vain toute la journée. À la nuit tombée, il alla rue de l'Ouest, et vit de la lumière aux fenêtres du troisième. Il se promena sous ces fenêtres jusqu'à ce que cette lumière fût éteinte.

Il se passa huit jours de la sorte. M. Leblanc et sa fille ne paraissaient plus au Luxembourg. Marius n'osait guetter la porte cochère pendant le jour. Il se contentait d'aller à la nuit contempler la clarté rougeâtre des vitres.

Le huitième jour, aucune lumière ne s'alluma aux fenêtres du troisième étage et personne ne rentra dans la maison.

Marius frappa à la porte cochère, entra et dit au portier :

— Le monsieur du troisième ?

— Déménagé, répondit le portier.

— Où demeure-t-il maintenant ?

— Je n'en sais rien.

7

Patron-Minette

Un quatuor de bandits, Claquesous, Gueulemer, Babet et Montparnasse, gouvernait de 1830 à 1835 les bas-fonds[114] de Paris.

Ces quatre hommes n'étaient point quatre hommes ; c'était une sorte de mystérieux voleur à quatre têtes travaillant en grand sur Paris.

Grâce à leurs ramifications, et au réseau sous-jacent de leurs relations, Babet, Gueulemer, Claquesous et Montparnasse avaient l'entreprise générale des guets-apens du département de la Seine. Ils faisaient sur le passant le coup d'État d'en bas. Les trouveurs d'idées en ce genre, les hommes à imagination nocturne, s'adressaient à eux pour l'exécution. On fournissait aux quatre coquins le canevas, ils se chargeaient de la mise en scène. Ils travaillaient sur scénario. Ils étaient toujours en situation de prêter un personnel proportionné et convenable à tous les attentats ayant besoin d'un coup d'épaule et suffisamment lucra-

---

114. Société misérable.

tifs[115]. Un crime étant en quête de bras, ils lui sous-louaient des complices. Ils avaient une troupe d'acteurs de ténèbres à la disposition de toutes les tragédies de cavernes.

Ils se réunissaient habituellement à la nuit tombante, heure de leur réveil, dans les steppes qui avoisinent la Salpêtrière. Là, ils conféraient. Ils avaient les douze heures noires devant eux ; ils en réglaient l'emploi.

Patron-Minette, tel était le nom qu'on donnait dans la circulation souterraine à l'association de ces quatre hommes.

---

115. Qui rapportent de l'argent.

8

Une rose dans la misère

L'été passa, puis l'automne ; l'hiver vint. Ni M. Leblanc ni la jeune fille n'avaient remis les pieds au Luxembourg. Marius tomba dans une tristesse noire.

Marius n'avait pas cessé d'habiter la masure Gorbeau. Il n'y faisait attention à personne.

À cette époque, à la vérité, il n'y avait plus dans cette masure d'autres habitants que lui et les Jondrette dont il avait une fois acquitté le loyer, sans avoir du reste jamais parlé ni au père, ni à la mère, ni aux filles.

Un jour d'hiver Marius montait à pas lents le boulevard afin de gagner la rue Saint-Jacques. C'était l'heure du dîner. Il marchait pensif, la tête baissée.

Tout à coup il se sentit coudoyé[116] dans la brume ; il se retourna et vit deux jeunes filles en haillons, l'une longue et mince, l'autre un peu moins grande, qui passaient rapidement, essoufflées, effarouchées, et comme ayant l'air de s'enfuir ; Marius comprit que les gendarmes avaient failli

---

116. Touché.

saisir ces deux enfants, et que ces enfants s'étaient échappés.

Le lendemain, vers sept heures du matin, Marius venait de se lever et de déjeuner, et il essayait de se mettre au travail lorsqu'on frappa doucement à sa porte.

— Entrez, dit Marius.

La porte s'ouvrit.

Une voix, qui n'était pas celle de mame Burgon, dit :

— Pardon, monsieur...

C'était une voix sourde, cassée, étranglée, éraillée. Marius se tourna vivement. Une toute jeune fille était debout dans la porte entrebâillée. C'était une créature hâve[117], chétive, décharnée ; rien qu'une chemise et une jupe sur une nudité frissonnante et glacée.

Ce visage n'était pas absolument inconnu à Marius. Il croyait se rappeler l'avoir vu quelque part.

— Que voulez-vous, mademoiselle ? demanda-t-il.

La jeune fille répondit avec sa voix de galérien ivre :

— C'est une lettre pour vous, monsieur Marius.

Elle tenait en effet une lettre à la main qu'elle présenta à Marius.

Marius la lut :

Mon aimable voisin, jeune homme !

J'ai appris vos bontés pour moi, que vous avez payé mon terme[118] *il y a six mois. Je vous bénis, jeune homme. Ma fille aînée vous dira que nous sommes sans un morceau de pain depuis deux jours, quatre personnes, et mon épouse malade. Je crois devoir espérer que votre cœur généreux s'humanisera*

---

117. Pâle et maigre.
118. Loyer.

à cet exposé, et vous subjuguera[119] *le désir de m'être propice en daignant me prodiguer un léger bienfait.*

Je suis avec la considération distinguée qu'on doit aux bienfaiteurs de l'humanité,

JONDRETTE

P.-S. – Ma fille attendra vos ordres, cher monsieur Marius.

Depuis que Marius habitait la masure, il n'avait eu que de bien rares occasions de voir les Jondrette.

Cependant, tandis que Marius attachait sur elle un regard étonné et douloureux, la jeune fille allait et venait dans la mansarde. Elle remuait les chaises, elle dérangeait les objets de toilette posés sur la commode, elle touchait aux vêtements de Marius, elle furetait ce qu'il y avait dans les coins.

— Tiens, dit-elle, vous avez un miroir !

Marius songeait, et la laissait faire.

Elle s'approcha de la table.

— Ah ! dit-elle, des livres ! Je sais lire, moi. Et je sais écrire aussi !

Elle trempa la plume dans l'encre, et se tournant vers Marius :

— Voulez-vous voir ? Tenez, je vais écrire un mot pour voir.

Et avant qu'il eût eu le temps de répondre, elle écrivit sur une feuille de papier blanc qui était au milieu de la table : *Les cognes*[120] *sont là.*

---

119. Suscitera.
120. Policiers (argot).

Puis jetant la plume elle considéra Marius, prit un air étrange, et lui dit :

— Savez-vous, monsieur Marius, que vous êtes joli garçon ? Vous ne faites pas attention à moi, mais je vous connais, monsieur Marius. Je vous rencontre ici dans l'escalier. Cela vous va très bien, vos cheveux ébouriffés.

Marius s'était reculé doucement. Il fouilla dans son gilet et finit par réunir cinq francs seize sous. Il garda les seize sous et donna les cinq francs à la fille.

Elle saisit la pièce.

— Bon, dit-elle, il y a du soleil ! Cinq francs !

Puis elle sortit.

Marius depuis cinq ans avait vécu dans la pauvreté, mais il s'aperçut qu'il n'avait point connu la vraie misère. La vraie misère, il venait de la voir.

Marius se reprocha presque les préoccupations de rêverie et de passion qui l'avaient empêché jusqu'à ce jour de jeter un coup d'œil sur ses voisins. Avoir payé leur loyer, c'était un mouvement machinal, tout le monde eût eu ce mouvement ; mais lui Marius eût dû faire mieux.

Tout en se faisant cette morale, il considérait le mur qui le séparait des Jondrette. Tout à coup, il se leva, il venait de remarquer vers le haut, près du plafond, un trou triangulaire résultant de trois lattes qui laissaient un vide entre elles. Il escalada la commode, approcha sa prunelle de la crevasse et regarda.

Ce que Marius voyait était un taudis abject, sale, fétide, ténébreux, sordide. Pour tous meubles, une chaise de paille, une table infirme, quelques vieux tessons, et dans deux coins deux grabats[121] indescriptibles ; pour toute clarté, une fenêtre-mansarde à quatre carreaux, drapée de

---

121. Lits misérables.

toiles d'araignée. Les murs avaient un aspect lépreux. Une humidité chassieuse y suintait.

Une espèce de panneau de bois plus long que large était posé à terre et appuyé en plan incliné contre le mur. Cela avait l'air d'un tableau retourné.

Près de la table, sur laquelle Marius apercevait une plume, de l'encre et du papier, était assis un homme d'environ soixante ans, petit, maigre, livide, hagard, l'air fin, cruel et inquiet ; un gredin hideux.

Une grosse femme qui pouvait avoir quarante ans ou cent ans était accroupie près de la cheminée sur ses talons nus.

Sur un des grabats, Marius entrevoyait une espèce de longue petite fille blême assise, presque nue et les pieds pendants, n'ayant l'air ni d'écouter, ni de voir, ni de vivre.

Du reste, il ne se révélait dans ce logis la présence d'aucun travail ; pas un métier, pas un rouet[122], pas un outil. Dans un coin quelques ferrailles d'un aspect douteux.

122. Instrument qui sert à filer la laine.

9

Elle !

Marius, la poitrine oppressée, allait redescendre de l'espèce d'observatoire qu'il s'était improvisé, quand un bruit attira son attention et le fit rester à sa place.

La porte du galetas venait de s'ouvrir brusquement. La fille aînée parut sur le seuil, puis cria avec une expression de triomphe et de joie :

— Il vient !

Le père tourna les yeux, la femme tourna la tête, la petite sœur ne bougea pas.

— Qui ? demanda le père.

— Le monsieur de l'église Saint-Jacques !

— Oui. Il vient en fiacre.

L'homme se dressa. Il y avait une sorte d'illumination sur son visage.

— Ma femme ? cria-t-il, tu entends. Voilà le vieux de l'église Saint-Jacques. Éteins le feu.

Puis s'adressant à sa fille aînée :

— Toi ! dépaille la chaise !

Le père se tourna vers la cadette qui était sur le grabat près de la fenêtre et lui cria d'une voix tonnante :

— Vite ! à bas du lit, fainéante ! tu ne feras donc jamais rien ! Casse un carreau !

Son regard parcourait rapidement tous les recoins du galetas. On eût dit un général qui fait les derniers préparatifs au moment où la bataille va commencer.

La mère, qui n'avait pas encore dit un mot, se souleva et demanda d'une voix lente et sourde.

— Chéri, qu'est-ce que tu veux faire ?

— Mets-toi au lit, répondit l'homme.

L'intonation n'admettait pas de délibération. La mère obéit et se jeta lourdement sur un des grabats.

Cependant on entendait un sanglot dans un coin.

— Qu'est-ce que c'est ? cria le père.

La fille cadette, sans sortir de l'ombre où elle s'était blottie, montra son poing ensanglanté. En brisant la vitre elle s'était blessée.

— Tant mieux ! dit l'homme, c'était prévu. Maintenant, nous pouvons recevoir le vieux.

En ce moment on frappa un léger coup à la porte, l'homme s'y précipita et l'ouvrit.

Un homme d'un âge mûr et une jeune fille parurent sur le seuil du galetas.

Marius n'avait pas quitté sa place. Ce qu'il éprouva en ce moment échappe à la langue humaine : c'était Elle.

Marius frémissait éperdument. Quoi ! il la revoyait enfin après l'avoir cherchée si longtemps ! il lui semblait qu'il avait perdu son âme et qu'il venait de la retrouver.

Elle était toujours la même, un peu pâle seulement ; sa délicate figure s'encadrait dans un chapeau de velours violet, sa taille se dérobait sous une pelisse de satin noir.

Elle était toujours accompagnée de M. Leblanc.

Elle avait fait quelques pas dans la chambre et avait déposé un assez gros paquet sur la table.

M. Leblanc s'approcha avec son regard bon et triste, et dit au père Jondrette :

— Monsieur, vous trouverez dans ce paquet des hardes neuves, des bas et des couvertures de laine.

— Notre angélique bienfaiteur nous comble, dit Jondrette en s'inclinant jusqu'à terre.

M. Leblanc se retournait vers Jondrette :

— Je vois que vous êtes bien à plaindre, monsieur...

Depuis quelques instants, Jondrette considérait « le bienfaiteur » d'une manière bizarre. Tout en parlant, il semblait le scruter avec attention comme s'il cherchait à recueillir des souvenirs.

Puis se retournant vers M. Leblanc :

— Voyez, monsieur ! je n'ai, moi, pour tout vêtement qu'une chemise de ma femme ! et toute déchirée ! au cœur de l'hiver. Je ne puis sortir faute d'un habit ! Et pas un sou dans la maison ! Demain, c'est le 4 février, le jour fatal ; si ce soir je n'ai pas payé mon propriétaire, demain, ma fille aînée, moi, mon épouse avec sa fièvre, mon enfant avec sa blessure, nous serons tous quatre chassés d'ici, et jetés dehors, dans la rue, sur le boulevard, sans abri, sous la pluie, sur la neige. Voilà, monsieur. Je dois quatre termes, une année ! c'est-à-dire une soixantaine de francs.

M. Leblanc tira cinq francs de sa poche et les jeta sur la table.

Cependant, M. Leblanc avait quitté une grande redingote brune qu'il portait par-dessus sa redingote bleue et l'avait jetée sur le dos de la chaise.

— Monsieur, dit-il, je n'ai plus que ces cinq francs sur moi, je vais reconduire ma fille à la maison et je reviendrai ce soir à six heures, et je vous apporterai les soixante francs.

— Mon bienfaiteur ! cria Jondrette éperdu.

M. Leblanc avait repris le bras de la belle jeune fille et se tournait vers la porte.

— À ce soir, mes amis, dit-il.

— Ô mon protecteur, dit Jondrette, mon auguste[123] bienfaiteur, je fonds en larmes ! Souffrez que je vous reconduise jusqu'à votre fiacre.

— Si vous sortez, repartit M. Leblanc, mettez ce pardessus. Il fait vraiment très froid.

Jondrette ne se le fit pas dire deux fois. Il endossa vivement la redingote brune. Et ils sortirent tous les trois, Jondrette précédant les deux étrangers.

---

123. Illustre, respectable.

10

Offres de service de la misère à la douleur

Marius n'avait rien perdu de toute cette scène, et pourtant en réalité il n'en avait rien vu. Ses yeux étaient restés fixés sur la jeune fille.

Quand elle sortit, il n'eut qu'une pensée, la suivre. Il sauta à bas de la commode, prit son chapeau et sortit de sa chambre. Il descendit en hâte, et il arriva sur le boulevard à temps pour voir un fiacre tourner le coin de la rue du Petit-Banquier et rentrer dans Paris.

Marius regarda le cabriolet s'éloigner d'un air égaré. Il rentra dans la masure désespéré.

Marius monta l'escalier à pas lents ; à l'instant où il allait rentrer dans sa cellule, il aperçut derrière lui dans le corridor la Jondrette aînée qui le suivait.

Marius entra dans sa chambre et poussa sa porte derrière lui. Elle ne se ferma pas ; il se retourna et vit la main de la Jondrette qui retenait la porte entr'ouverte.

— C'est vous ? demanda Marius presque durement, toujours vous donc ! Que me voulez-vous ?

Elle semblait pensive et ne regardait pas. Elle n'avait plus son assurance du matin.

— Monsieur Marius, vous avez l'air triste. Qu'est-ce que vous avez ?

— Laissez-moi tranquille !

— Tenez, dit-elle, vous avez tort. Vous avez du chagrin, cela se voit. Je ne voudrais pas que vous eussiez du chagrin. Je ne vous demande pas vos secrets, vous n'aurez pas besoin de me dire, mais enfin je peux être utile. Quand il faut porter des lettres, aller dans les maisons, demander de porte en porte, trouver une adresse, suivre quelqu'un, moi je sers à ça.

Une idée traversa l'esprit de Marius. Il s'approcha de la Jondrette.

— Écoute... lui dit-il.

Elle l'interrompit avec un éclair de joie dans les yeux.

— Oh ! oui, tutoyez-moi ! j'aime mieux cela.

— Eh bien, reprit-il, tu as amené ici ce vieux monsieur avec sa fille...

— Oui.

— Sais-tu leur adresse ?

— Non.

— Trouve-la-moi.

L'œil de la Jondrette, de morne, était devenu joyeux, de joyeux, il devint sombre.

— Vous aurez l'adresse de la belle demoiselle.

Elle baissa la tête, puis d'un mouvement brusque elle tira la porte qui se referma.

Marius se retrouva seul. Il se laissa tomber sur une chaise, la tête et les deux coudes sur son lit, comme en proie à un vertige.

Tout à coup il fut violemment arraché à sa rêverie.

Il entendit la voix haute et dure de Jondrette prononcer ces paroles :

— Je te dis que j'en suis sûr et que je l'ai reconnu.

De qui parlait Jondrette ? il avait reconnu qui ? M. Leblanc ? le père de « son Ursule » ? quoi ! est-ce que Jondrette le connaissait ? Marius allait-il savoir qui était cette jeune fille ? qui était son père ?

Il bondit plutôt qu'il ne monta sur la commode, et reprit sa place près de la petite lucarne de la cloison.

La femme, qui semblait timide et frappée de stupeur devant son mari, se hasarda à lui dire :

— Quoi, vraiment ? tu es sûr ?

— Sûr ! Il y a huit ans ! Ah ! je le reconnais ! je l'ai reconnu tout de suite !

Il s'arrêta et dit à ses filles :

— Allez-vous-en, vous autres !

Elles se levèrent pour obéir.

Au moment où elles allaient passer la porte, le père retint l'aînée par le bras et dit avec un accent particulier :

— Vous serez ici à cinq heures précises. Toutes les deux. J'aurai besoin de vous.

Marius redoubla d'attention.

Demeuré seul avec sa femme, Jondrette se remit à marcher dans la chambre et en fit deux ou trois fois le tour en silence.

Tout à coup il se tourna vers la Jondrette, croisa les bras, et s'écria :

— Et veux-tu que je te dise une chose ? La demoiselle...

Mais le Jondrette s'était penché, et avait parlé bas à sa femme. Puis il se releva et termina tout haut :

— C'est elle !

— Pas possible ! s'écria-t-elle. Quand je pense que mes filles vont nu-pieds et n'ont pas une robe à se mettre ! Oh ! je voudrais lui crever le ventre à coups de sabot !

Elle sauta à bas du lit et resta un moment debout décoiffée, les narines gonflées, la bouche entr'ouverte, les poings crispés et rejetés en arrière. Puis elle se laissa retomber sur le grabat.

Après quelques instants de silence, il s'approcha de la Jondrette et s'arrêta devant elle, les bras croisés, comme le moment d'auparavant.

— Écoute bien. Il est pris, le crésus[124] ! C'est tout comme. C'est déjà fait. Tout est arrangé. J'ai vu des gens. Il viendra à six heures ! c'est l'heure où le voisin est allé dîner. La mère Burgon lave la vaisselle en ville. Il n'y a personne dans la maison. Les petites feront le guet. Tu nous aideras. Il s'exécutera.

— Et s'il ne s'exécute pas ? demanda la femme.

Jondrette fit un geste sinistre et dit :

— Nous l'exécuterons.

Et il éclata de rire.

— Maintenant, fit-il, je sors. J'ai encore des gens à voir. Tu verras comme ça va marcher.

Et, les deux poings dans les deux goussets[125] de son pantalon, il resta un moment pensif, puis s'écria :

— Sais-tu qu'il est tout de même bien heureux qu'il ne m'ait pas reconnu, lui ! S'il m'avait reconnu de son côté, il ne serait pas revenu. Il nous échappait ! C'est ma barbe qui m'a sauvé ! ma jolie petite barbiche romantique.

Il se remit à rire. Et, enfonçant la casquette sur ses yeux, il sortit.

---

124. Homme très riche.
125. Poches.

11

Où l'on voit réapparaître Javert

Marius, tout songeur qu'il était, était une nature ferme et énergique. Il avait pitié d'un crapaud, mais il écrasait une vipère. Or, c'était dans un trou de vipères que son regard venait de plonger.

À travers les paroles ténébreuses qui avaient été dites, il n'entrevoyait distinctement qu'une chose, c'est qu'un guet-apens terrible se préparait ; c'est qu'ils couraient tous les deux un grand danger ; c'est qu'il fallait les sauver.

Il descendit de la commode le plus doucement qu'il put et en ayant soin de ne faire aucun bruit. Une heure venait de sonner, le guet-apens devait s'accomplir à six heures. Marius avait cinq heures devant lui.

Il mit son habit passable, se noua un foulard au cou, prit son chapeau, et sortit, sans faire plus de bruit que s'il eût marché sur de la mousse avec des pieds nus.

Une fois hors de la maison, il gagna la rue du Petit-Banquier. Il se dirigea vers le faubourg Saint-Marceau et demanda à la première boutique qu'il rencontra où il y avait un commissariat de police.

On lui indiqua la rue de Pontoise et le numéro 14.

Marius s'y rendit, monta au premier et demanda l'inspecteur de police. Le garçon du bureau l'introduisit dans le cabinet de l'inspecteur. Un homme de haute taille s'y tenait debout, derrière une grille, appuyé à un poêle, et relevant de ses deux mains les pans d'un vaste carrick[126] à trois collets.

— Que voulez-vous ? dit-il à Marius, sans ajouter monsieur.

— C'est pour une affaire très secrète et très pressée.

— Alors parlez vite.

Cet homme, calme et brusque, était tout à la fois effrayant et rassurant. Il inspirait la crainte et la confiance. Marius lui conta l'aventure.

L'inspecteur jeta sur Marius un coup d'œil et il plongea d'un seul mouvement ses deux mains, qui étaient énormes, dans deux immenses poches de son carrick, et en tira deux petits pistolets d'acier. Il les présenta à Marius :

— Prenez ceci. Rentrez chez vous. Cachez-vous dans votre chambre. Qu'on vous croie sorti. Ils sont chargés. Chacun de deux balles. Vous observerez, il y a un trou au mur, comme vous me l'avez dit. Les gens viendront. Laissez-les aller un peu. Quand vous jugerez la chose à point et qu'il sera temps de l'arrêter, vous tirerez un coup de pistolet en l'air. Le reste me regarde.

Marius cacha les pistolets dans ses goussets.

— Maintenant, poursuivit l'inspecteur, il n'y a plus une minute à perdre pour personne.

Et comme Marius mettait la main au loquet de la porte pour sortir, l'inspecteur lui cria :

---

126. Grand manteau.

— À propos, si vous aviez besoin de moi d'ici là, venez ou envoyez ici. Vous feriez demander l'inspecteur Javert.

Marius regagna à grands pas le n° 50-52. La porte était encore ouverte quand il arriva. Il monta l'escalier sur la pointe du pied et se glissa le long du mur du corridor jusqu'à sa chambre. Il parvint à rentrer dans sa chambre sans être aperçu et sans bruit. Il était temps. Un moment après, il entendit mame Burgon qui s'en allait et la porte de la maison qui se fermait.

Marius s'assit sur son lit. Il pouvait être cinq heures et demie. Une demi-heure seulement le séparait de ce qui allait arriver. Il entendait battre ses artères.

Il y avait de la lumière dans le taudis Jondrette. Marius ôta doucement ses bottes et les poussa sous son lit.

12

Emploi de la pièce de cinq francs de Marius

Marius jugea que le moment était venu de reprendre sa place à son observatoire. En un clin d'œil, et avec la souplesse de son âge, il fut près du trou de la cloison.

Jondrette avait allumé sa pipe, s'était assis sur la chaise dépaillée, et fumait. Sa femme lui parlait bas.

Tout à coup Jondrette haussa la voix.

— À propos ! j'y songe. Par le temps qu'il fait il va venir en fiacre. Allume la lanterne, prends-la, et descends. Tu te tiendras derrière la porte en bas. Au moment où tu entendras la voiture s'arrêter, tu ouvriras tout de suite, il montera, tu l'éclaireras dans l'escalier et dans le corridor, et pendant qu'il entrera ici, tu redescendras bien vite, tu payeras le cocher et tu renverras le fiacre.

Jondrette fouilla dans son pantalon, et lui remit cinq francs.

Elle obéit en hâte, et Jondrette resta seul.

Il y avait dans cette chambre je ne sais quel calme hideux et menaçant. On y sentait l'attente de quelque chose d'épouvantable.

Marius de son côté saisit le pistolet qui était dans son gousset droit, l'en retira et l'arma.

Tout à coup la vibration lointaine et mélancolique d'une cloche ébranla les vitres. Six heures sonnaient à Saint-Médard.

Jondrette marqua chaque coup d'un hochement de tête. Le sixième sonné, il moucha[127] la chandelle avec ses doigts. Puis il revint à sa chaise. Il se rasseyait à peine que la porte s'ouvrit. La mère Jondrette l'avait ouverte et restait dans le corridor, faisant une horrible grimace aimable qu'un des trous de la lanterne sourde éclairait d'en bas.

— Entrez, monsieur, dit-elle.

— Entrez, mon bienfaiteur, répéta Jondrette se levant précipitamment.

M. Leblanc parut.

Il avait un air de sérénité qui le faisait singulièrement vénérable. Il posa sur la table quatre louis.

— Monsieur, dit-il, voici pour votre loyer et vos premiers besoins. Nous verrons ensuite.

— Dieu vous le rende, mon généreux bienfaiteur ! dit Jondrette ; et, s'approchant rapidement de sa femme :

— Renvoie le fiacre !

Elle s'esquiva pendant que son mari prodiguait les saluts et offrait une chaise à M. Leblanc. Un instant après elle revint et lui dit bas à l'oreille :

— C'est fait.

La neige qui n'avait cessé de tomber depuis le matin était tellement épaisse qu'on n'avait point entendu le fiacre arriver, et qu'on ne l'entendit pas s'en aller.

Cependant M. Leblanc s'était assis, et il tourna les yeux vers les grabats qui étaient vides.

_____

127. Éteignit.

— Comment va la pauvre petite blessée ? demanda-t-il.

— Mal, répondit Jondrette avec un sourire navré et reconnaissant, très mal, mon digne monsieur. Sa sœur aînée l'a menée à la Bourbe se faire panser. Vous allez les voir, elles vont rentrer tout à l'heure.

— Madame Jondrette me paraît mieux portante ? reprit M. Leblanc en jetant les yeux sur le bizarre accoutrement de la Jondrette, qui, debout entre lui et la porte, comme si elle gardait déjà l'issue, le considérait dans une posture de menace et presque de combat.

— Elle est mourante, dit Jondrette. Mais que voulez-vous, monsieur ? elle a tant de courage, cette femme-là ! Ce n'est pas une femme, c'est un bœuf. Ah ! c'est que nous avons toujours fait bon ménage, cette pauvre chérie et moi ! Hélas ! il ne nous reste rien de notre temps de prospérité ! Rien qu'une seule chose, un tableau auquel je tiens, mais dont je me déferais pourtant, car il faut vivre ! item[128], il faut vivre !

Pendant que Jondrette parlait, Marius leva les yeux et aperçut au fond de la chambre un homme qui venait d'entrer, si doucement qu'on n'avait pas entendu tourner les gonds de la porte. Il s'était assis en silence et les bras croisés sur le lit le plus voisin, et, comme il se tenait derrière la Jondrette, on ne le distinguait que confusément.

— Qu'est-ce que c'est que cet homme ? dit M. Leblanc.

— Ça ? fit Jondrette, c'est un voisin. Ne faites pas attention.

Un léger bruit se fit à la porte. Un second homme venait d'entrer et de s'asseoir sur le lit, derrière la Jondrette. Il avait, comme le premier, les bras nus et un masque d'encre ou de suie.

---

128. De plus.

Quoique cet homme se fût, à la lettre, glissé dans la chambre, il ne put faire que M. Leblanc ne l'aperçut.

— Ne prenez pas garde, dit Jondrette. Ce sont des gens de la maison. Je disais donc qu'il me restait un tableau précieux... Tenez, monsieur, voyez.

Il se leva, alla à la muraille au bas de laquelle était un panneau, et le retourna, tout en le laissant appuyé au mur. Marius n'en pouvait rien distinguer, Jondrette étant placé entre le tableau et lui.

— Qu'est-ce que c'est que cela ? demanda M. Leblanc.

Jondrette s'exclama :

— Une peinture de maître, un tableau d'un grand prix, mon bienfaiteur ! J'y tiens comme à mes deux filles, il me rappelle des souvenirs !

Soit hasard, soit qu'il y eût quelque commencement d'inquiétude, tout en examinant le tableau, le regard de M. Leblanc revint vers le fond de la chambre. Il y avait maintenant quatre hommes, trois assis sur le lit, un debout près du chambranle de la porte, tous quatre bras nus, immobiles, le visage barbouillé de noir.

Jondrette remarqua que l'œil de M. Leblanc s'attachait à ces hommes.

— C'est des amis, ça voisine, dit-il. C'est barbouillé parce que ça travaille dans le charbon. Ce sont des fumistes[129]. Ne vous en occupez pas, mon bienfaiteur, mais achetez-moi mon tableau. Ayez pitié de ma misère. Je ne vous le vendrai pas cher. Combien l'estimez-vous ?

— Mais, dit M. Leblanc, en regardant Jondrette entre les deux yeux et comme un homme qui se met sur ses gardes, c'est quelque enseigne de cabaret, cela vaut bien trois francs.

---

129. Ramoneurs.

Jondrette répondit avec douceur :

— Avez-vous votre portefeuille là ? je me contenterais de mille écus.

M. Leblanc se leva debout, s'adossa à la muraille et promena rapidement son regard dans la chambre. Il avait Jondrette à sa gauche du côté de la fenêtre, et la Jondrette et les quatre hommes à sa droite du côté de la porte. Les quatre hommes ne bougeaient pas et n'avaient pas même l'air de le voir ; Jondrette s'était remis à parler d'un accent plaintif.

— Si vous ne m'achetez pas mon tableau, cher bienfaiteur, disait Jondrette, je suis sans ressource, je n'ai plus qu'à me jeter à même la rivière. Comment voulez-vous qu'on vive ?

Tout en parlant, Jondrette ne regardait pas M. Leblanc qui l'observait. Tout à coup sa prunelle éteinte s'illumina d'un flamboiement hideux, ce petit homme se dressa et devint effrayant, il fit un pas vers M. Leblanc. Et lui cria d'une voix tonnante :

— Il ne s'agit pas de tout cela ! me reconnaissez-vous ?

13

Le guet-apens

La porte du galetas venait de s'ouvrir brusquement, et laissait voir trois hommes en blouse de toile bleue, masqués de masques de papier noir.

M. Leblanc était très pâle. Il considérait tout dans le bouge autour de lui comme un homme qui comprend où il est tombé, et sa tête, tour à tour dirigée vers toutes les têtes qui l'entouraient, se mouvait sur son cou avec une lenteur attentive et étonnée, mais il n'y avait dans son air rien qui ressemblât à la peur. Il s'était fait de la table un retranchement improvisé ; et cet homme qui, le moment d'auparavant, n'avait l'air que d'un bon vieux homme, était devenu subitement une sorte d'athlète, et posait son poing robuste sur le dossier de sa chaise avec un geste redoutable et surprenant.

Marius pensa qu'avant quelques secondes le moment d'intervenir serait arrivé, et il éleva sa main droite vers le plafond, prêt à lâcher son coup de pistolet.

Jondrette se tourna de nouveau vers M. Leblanc et répéta sa question en l'accompagnant de ce rire bas, contenu et terrible qu'il avait :

— Vous ne me reconnaissez donc pas ?

M. Leblanc le regarda en face et répondit :

— Non.

Alors Jondrette vint jusqu'à la table. Il se pencha par-dessus la chandelle, croisant les bras, approchant sa mâchoire anguleuse et féroce du visage calme de M. Leblanc, et, dans cette posture de bête fauve qui va mordre, il cria :

— Je ne m'appelle pas Jondrette, je me nomme Thénardier ! je suis l'aubergiste de Montfermeil ! Thénardier ! Maintenant me reconnaissez-vous ?

Une imperceptible rougeur passa sur le front de M. Leblanc, et il répondit sans que sa voix tremblât :

— Pas davantage.

Marius n'entendit pas cette réponse. Qui l'eût vu en ce moment dans cette obscurité l'eût vu hagard, stupide et foudroyé. Au moment où Jondrette avait dit : *Je me nomme Thénardier*, Marius avait tremblé de tous ses membres et s'était appuyé au mur comme s'il eût senti le froid d'une lame d'épée à travers son cœur. Puis son bras droit, prêt à lâcher le coup de signal, s'était abaissé lentement. Ce nom de Thénardier, que M. Leblanc ne semblait pas connaître, Marius le connaissait. Ce nom, il l'avait porté sur son cœur, écrit dans le testament de son père ! il le portait au fond de sa pensée, au fond de sa mémoire, dans cette recommandation sacrée : « Un nommé Thénardier m'a sauvé la vie. Si mon fils le rencontre, il lui fera tout le bien qu'il pourra. » Quoi ! c'était là ce Thénardier ! Ce sauveur de son père était un bandit ! cet homme, auquel lui Marius brûlait de se dévouer, était un monstre !

Cependant Thénardier, nous ne le nommerons plus autrement désormais, se promenait de long en large devant la table.

— Ah ! je vous retrouve enfin, monsieur le millionnaire râpé ! monsieur le donneur de poupées ! vieux Jocrisse[130]! Ah ! vous ne me reconnaissez pas ! Eh bien, je vous reconnais, moi ! je vous ai reconnu tout de suite dès que vous avez fourré votre mufle ici. Ah ! on va voir enfin que ce n'est pas tout rose d'aller comme cela dans les maisons des gens, sous prétexte que ce sont des auberges, avec des habits minables, avec l'air d'un pauvre, qu'on lui aurait donné un sou, tromper les personnes, faire le généreux, leur prendre leur gagne-pain. Vieux gueux, voleur d'enfants !

Ici Thénardier fit un pas vers les hommes qui étaient près de la porte, et ajouta avec un frémissement :

— Quand je pense qu'il ose venir me parler comme à un savetier !

Puis s'adressant à M. Leblanc avec une recrudescence de frénésie :

— Et sachez encore ceci, monsieur le « bienfaiteur » ! je ne suis pas un homme louche, moi ! je ne suis pas un homme dont on ne sait point le nom et qui vient enlever des enfants dans les maisons ! Je suis un ancien soldat français, je devrais être décoré ! J'étais à Waterloo, moi ! et j'ai sauvé dans la bataille un général appelé le comte de je ne sais quoi ! Il m'a dit son nom ; mais sa chienne de voix était si faible que je ne l'ai pas entendu. Je n'ai entendu que *Merci*. J'aurais mieux aimé son nom que son remerciement. Cela m'aurait aidé à le retrouver. Ce tableau que vous voyez, et qui a été peint par David à Bruqueselles, savez-vous qui il représente ? il représente moi. David a voulu immortaliser ce fait d'armes. J'ai ce général sur mon dos, et je l'emporte à travers la mitraille. Voilà l'histoire. Et maintenant que j'ai eu la bonté de vous dire tout ça, finissons, il me faut de l'ar-

---

130. Personnage de théâtre niais.

gent, il me faut beaucoup d'argent, il me faut énormément d'argent, ou je vous extermine, tonnerre du bon Dieu !

Le tableau de maître, la peinture de David dont il avait proposé l'achat à M. Leblanc, n'était autre que l'enseigne de sa gargote, peinte par lui-même, seul débris qu'il eût conservé de son naufrage de Montfermeil.

Depuis quelques instants, M. Leblanc semblait suivre et guetter tous les mouvements de Thénardier, qui lui tournait le dos.

M. Leblanc saisit ce moment, repoussa du pied la chaise, du poing la table, et d'un bond, avec une agilité prodigieuse, avant que Thénardier eût eu le temps de se retourner il était à la fenêtre. Il était à moitié dehors quand six poings robustes le saisirent et le ramenèrent énergiquement dans le bouge. En même temps, la Thénardier l'avait empoigné aux cheveux.

Au piétinement qui se fit, les autres bandits accoururent du corridor. Ils parvinrent à le renverser sur le lit le plus proche de la croisée et l'y tinrent en respect. La Thénardier ne lui avait pas lâché les cheveux.

— Il n'y a qu'une chose à faire.

— L'escarper[131] !

C'était le mari et la femme qui tenaient conseil.

Thénardier marcha à pas lents vers la table, ouvrit le tiroir et y prit le couteau.

Marius tourmentait le pommeau du pistolet. Perplexité inouïe. Depuis une heure il y avait deux voix dans sa conscience, l'une lui disait de respecter le testament de son père, l'autre lui criait de secourir le prisonnier.

Tout à coup il tressaillit.

---

131. Assassiner.

À ses pieds, sur la table, un vif rayon de pleine lune éclairait et semblait lui montrer une feuille de papier. Sur cette feuille il lut cette ligne écrite en grosses lettres le matin même par l'aînée des filles Thénardier :

LES COGNES SONT LÀ.

Une idée traversa l'esprit de Marius ; c'était le moyen qu'il cherchait, la solution de cet affreux problème qui le torturait, épargner l'assassin et sauver la victime. Il s'agenouilla sur sa commode, étendit le bras, saisit la feuille de papier, détacha doucement un morceau de plâtre de la cloison, l'enveloppa dans le papier, et jeta le tout par la crevasse au milieu du bouge.

— Quelque chose qui tombe ! cria la Thénardier.

— Qu'est-ce ? dit le mari.

La femme s'était élancée et avait ramassé le plâtras enveloppé du papier. Elle le remit à son mari.

— Par où cela est-il venu ? demanda Thénardier.

— Pardié ! fit la femme, par où veux-tu que cela soit entré ? C'est venu par la fenêtre.

Thénardier déplia rapidement le papier et l'approcha de la chandelle.

— C'est de l'écriture d'Éponine. Diable ! Vite ! l'échelle ! laissons le lard dans la souricière et fichons le camp par la fenêtre.

Les brigands qui tenaient le prisonnier le lâchèrent ; en un clin d'œil l'échelle de corde fut déroulée hors de la fenêtre et attachée solidement au rebord par les deux crampons de fer.

Le prisonnier ne faisait pas attention à ce qui se passait autour de lui. Il semblait rêver ou prier.

Sitôt l'échelle fixée, Thénardier cria :

— Viens, la bourgeoise !

Et il se précipita vers la croisée.

Mais comme il allait enjamber, l'un des bandits le saisit rudement au collet.

— Non pas, dis donc, vieux farceur ! après nous !

— Après nous ! hurlèrent les bandits.

— Vous êtes des enfants, dit Thénardier, nous perdons le temps. Les railles[132] sont sur nos talons.

— Eh bien, dit un des bandits, tirons au sort à qui passera le premier.

Thénardier s'exclama :

— Êtes-vous fous ! tirer au sort, n'est-ce pas ? écrire nos noms ! les mettre dans un bonnet ! ...

— Voulez-vous mon chapeau ? cria une voix du seuil de la porte.

Tous se retournèrent. C'était Javert. Il tenait son chapeau à la main, et le tendait en souriant.

_____

132. Policiers (argot).

14

On devrait toujours commencer
par arrêter les victimes

Javert, à la nuit tombante, avait aposté des hommes et s'était embusqué lui-même derrière les arbres de la rue qui fait face à la masure Gorbeau de l'autre côté du boulevard. Il avait commencé par ouvrir « sa poche » pour y fourrer les deux jeunes filles chargées de surveiller les abords du bouge. Puis Javert s'était mis en arrêt, prêtant l'oreille au signal convenu. Les allées et venues du fiacre l'avaient fort agité. Enfin, il s'était impatienté, et *sûr qu'il y avait un nid-là*, il avait fini par se décider à monter sans attendre le coup de pistolet.

Il était arrivé à point.

Javert remit son chapeau sur sa tête, et fit deux pas dans la chambre, les bras croisés, la canne sous le bras, l'épée dans le fourreau.

— Halte-là ! dit-il. Vous ne passerez pas par la fenêtre, vous passerez par la porte.

Il se retourna et appela derrière lui :

— Entrez maintenant !

Une escouade de sergents de ville l'épée au poing et d'agents armés de casse-tête et de gourdins se rua à l'appel de Javert. On garrotta les bandits.

En ce moment, il aperçut le prisonnier des bandits qui, depuis l'entrée des agents de police, n'avait pas prononcé une parole et tenait sa tête baissée.

— Que personne ne sorte !

Cela dit, il s'assit souverainement devant la table, où étaient restées la chandelle et l'écritoire, tira un papier timbré de sa poche et commença son procès-verbal. Quand il eut écrit les premières lignes, il leva les yeux.

— Faites approcher ce monsieur.

Les agents regardèrent autour d'eux.

— Eh bien, demanda Javert, où est-il donc ?

Le prisonnier des bandits, M. Leblanc, avait disparu.

La porte était gardée, mais la croisée[133] ne l'était pas. Sitôt qu'il s'était vu délié, et pendant que Javert verbalisait, il avait profité du trouble, du tumulte, de l'encombrement, de l'obscurité, et d'un moment où l'attention n'était pas fixée sur lui, pour s'élancer par la fenêtre. Un agent courut à la lucarne, et regarda. On ne voyait personne dehors. L'échelle de corde tremblait encore.

— Diable, fit Javert entre ses dents, ce devait être le meilleur !

---

133. Fenêtre.

Quatrième partie

L'idylle rue Plumet
et l'épopée rue Saint-Denis

1

La promesse d'Éponine

Marius avait assisté au dénouement inattendu du guet-apens sur la trace duquel il avait mis Javert ; mais à peine Javert avait-il quitté la masure, emmenant ses prisonniers dans trois fiacres, que Marius de son côté se glissa hors de la maison et alla chez Courfeyrac. Courfeyrac n'était plus l'imperturbable habitant du quartier latin ; il était allé demeurer rue de la Verrerie « pour des raisons politiques » ; ce quartier était de ceux où l'insurrection dans ce temps-là s'installait volontiers. Marius dit à Courfeyrac : Je viens coucher chez toi. Courfeyrac tira un matelas de son lit qui en avait deux, l'étendit à terre, et dit : Voilà.

Le lendemain, dès sept heures du matin, Marius revint à la masure, paya le terme et ce qu'il devait à mame Burgon, fit charger sur une charrette à bras ses livres, son lit, sa table, sa commode et ses deux chaises, et s'en alla sans laisser son adresse, si bien que, lorsque Javert revint dans la matinée afin de questionner Marius sur les événements de la veille, il ne trouva que mame Burgon qui lui répondit : Déménagé !

Un mois s'écoula, puis un autre. Marius était toujours chez Courfeyrac. Il avait su par un avocat stagiaire, promeneur habituel de la salle des pas perdus, que Thénardier était au secret. Tous les lundis, Marius faisait remettre au greffe de la Force cinq francs pour Thénardier.

Marius était navré. Tout était de nouveau rentré dans une trappe. Il ne voyait plus rien devant lui ; sa vie était replongée dans ce mystère où il errait à tâtons.

Le triomphe de Javert dans la masure Gorbeau avait semblé complet, mais ne l'avait pas été.

D'abord, et c'était là son principal souci, Javert n'avait point fait prisonnier le prisonnier. L'assassiné qui s'évade est plus suspect que l'assassin ; et il est probable que ce personnage, si précieuse capture pour les bandits, n'était pas de moins bonne prise pour l'autorité.

Ensuite, Montparnasse avait échappé à Javert.

Quant à Marius, dont Javert avait oublié le nom, Javert y tenait peu.

Marius n'allait plus chez personne. Un matin, il avait été s'asseoir sur le parapet de la rivière des Gobelins. Un gai soleil pénétrait les feuilles fraîches épanouies et toutes lumineuses. Il songeait à « Elle ».

Tout à coup au milieu de son extase accablée il entendit une voix connue qui disait :

— Tiens ! le voilà !

Il leva les yeux, et reconnut cette malheureuse enfant qui était venue un matin chez lui, l'aînée des filles Thénardier, Éponine.

Elle fut quelques moments comme si elle ne pouvait parler.

— Je vous rencontre donc ! dit-elle enfin. Comme je vous ai cherché ! si vous saviez ! Savez-vous cela ? j'ai été au bloc[134]. Quinze jours ! Ils m'ont lâchée ! vu qu'il n'y avait rien sur moi et que d'ailleurs je n'avais pas l'âge du discernement. Il s'en fallait de deux mois. Oh ! comme je vous ai cherché ! Voilà six semaines. Vous ne demeurez donc plus là-bas ?

— Non, dit Marius.

— Oh ! je comprends. À cause de la chose. C'est désagréable ces esbroufes-là. Vous avez déménagé.

Marius ne répondit pas.

Elle reprit avec une expression qui s'assombrissait peu à peu :

— Vous n'avez pas l'air content de me voir ? Si je voulais pourtant, je vous forcerais bien à avoir l'air content !

— Quoi ? demanda Marius.

Elle regarda Marius dans le blanc des yeux et lui dit :

— J'ai l'adresse.

Marius sauta du parapet où il était assis et lui prit éperdument la main.

— Oh ! eh bien ! conduis-moi ! demande-moi tout ce que tu voudras ! Où est-ce ?

— Venez avec moi, répondit-elle. Je ne sais pas bien la rue et le numéro ; c'est de l'autre côté d'ici, mais je connais la maison, je vais vous conduire.

---

134. En prison.

2

La maison à secret

Vers le milieu du siècle dernier, un bourgeois fit construire « une petite maison » faubourg Saint-Germain, dans la rue Plumet.

Cette maison se composait d'un pavillon à un seul étage ; deux salles au rez-de-chaussée, deux chambres au premier, en bas une cuisine, en haut un boudoir, sous le toit un grenier, le tout précédé d'un jardin avec large grille donnant sur la rue. Ce logis communiquait, par-derrière, par une porte masquée et ouvrant à secret, avec un long couloir étroit, pavé, sinueux, à ciel ouvert, bordé de deux hautes murailles, lequel, perdu entre les clôtures des jardins, allait aboutir à une autre porte également à secret qui s'ouvrait à un demi-quart de lieue de là, presque dans un autre quartier, à l'extrémité solitaire de la rue de Babylone.

Au mois d'octobre 1829, un homme d'un certain âge avait loué la maison. Il avait fait rétablir les ouvertures à secret des deux portes de ce passage. Le nouveau locataire avait ordonné quelques réparations, et enfin était venu s'installer avec une jeune fille et une servante âgée, sans bruit, plutôt comme quelqu'un qui se glisse que comme quelqu'un qui entre chez soi. Les voisins n'en jasèrent point, par la raison qu'il n'y avait pas de voisins.

Ce locataire était Jean Valjean, la jeune fille était Cosette. La servante était une fille appelée Toussaint, elle était vieille, provinciale et bègue, trois qualités qui avaient déterminé Jean Valjean à la prendre avec lui. Il avait loué la maison sous le nom de M. Fauchelevent, rentier.

Pourquoi Jean Valjean avait-il quitté le couvent du Petit-Picpus ?

Jean Valjean était heureux dans le couvent, si heureux que sa conscience finit par s'inquiéter. Il voyait Cosette tous les jours, il sentait la paternité naître et se développer en lui de plus en plus, il couvait de l'âme cette enfant, il se disait qu'elle était à lui, que rien ne pouvait la lui enlever, que cela serait ainsi indéfiniment, que certainement elle se ferait religieuse, qu'ainsi le couvent était désormais l'univers pour elle comme pour lui, qu'enfin, ravissante espérance, aucune séparation n'était possible. En réfléchissant à ceci, il s'interrogea. Il se disait que cette enfant avait le droit de connaître la vie avant d'y renoncer, que lui retrancher, d'avance et en quelque sorte sans la consulter, toutes les joies sous prétexte de lui sauver toutes les épreuves, profiter de son ignorance et de son isolement pour lui faire germer une vocation artificielle, c'était dénaturer une créature humaine et mentir à Dieu.

Une fois sa détermination arrêtée, il attendit l'occasion. Elle ne tarda pas à se présenter. Le vieux Fauchelevent mourut.

Jean Valjean demanda audience à la révérende prieure et lui dit qu'ayant fait à la mort de son frère un petit héritage qui lui permettait de vivre désormais sans travailler, il quittait le service du couvent et emmenait sa fille.

C'est ainsi que Jean Valjean sortit du couvent de l'adoration perpétuelle.

Il découvrit la maison de la rue Plumet et s'y blottit. Il était désormais en possession du nom d'Ultime Fauchelevent.

En même temps il loua deux autres appartements dans Paris, afin de moins attirer l'attention que s'il fût toujours resté dans le même quartier, de pouvoir faire au besoin des absences à la moindre inquiétude qui le prendrait, et enfin de ne plus se trouver au dépourvu comme la nuit où il avait miraculeusement échappé à Javert. Ces deux appartements étaient deux logis fort chétifs et d'apparence pauvre, dans deux quartiers très éloignés l'un de l'autre, l'un rue de l'Ouest, l'autre rue de l'Homme-Armé.

Tous les jours Jean Valjean prenait le bras de Cosette et la menait promener. Il la conduisait au Luxembourg, dans l'allée la moins fréquentée et tous les dimanches à la messe, toujours à Saint-Jacques-du-Haut-Pas, parce que c'était fort loin.

M. Fauchelevent, rentier, était de la garde nationale[135] ; il avait pu échapper aux mailles étroites du recensement de 1831. Les renseignements municipaux pris à cette époque étaient remontés jusqu'au couvent du Petit-Picpus, sorte de nuée impénétrable et sainte d'où Jean Valjean était sorti vénérable aux yeux de sa mairie, et, par conséquent, digne de monter sa garde.

Trois ou quatre fois l'an, Jean Valjean endossait son uniforme et faisait sa faction. Jean Valjean venait d'atteindre ses soixante ans ; mais il n'en paraissait pas plus de

---

135. Corps créé en 1789 et préposé au maintien de l'ordre.

cinquante ; il n'avait pas d'état civil ; il cachait son nom, il cachait son identité, il cachait son âge, il cachait tout. Ressembler au premier venu qui paye ses contributions, c'était là toute son ambition. Cet homme avait pour idéal, au-dedans, l'ange, au-dehors, le bourgeois.

Un jour Cosette se regarda par hasard dans son miroir et se dit : tiens ! Il lui semblait presque qu'elle était jolie. Ceci la jeta dans un trouble singulier. Jusqu'à ce moment elle n'avait point songé à sa figure. Et puis, on lui avait souvent dit qu'elle était laide ; Jean Valjean seul disait doucement : Mais non ! mais non ! Voici que tout d'un coup son miroir lui disait comme Jean Valjean : Mais non ! Elle ne dormit pas de la nuit.

Elle était belle et jolie. Sa taille s'était faite, sa peau avait blanchi, ses cheveux s'étaient lustrés, une splendeur inconnue s'était allumée dans ses prunelles bleues. La conscience de sa beauté lui vint tout entière, en une minute, comme un grand jour qui se fait, les autres la remarquaient d'ailleurs.

De son côté Jean Valjean éprouvait un profond et indéfinissable serrement de cœur. C'est qu'en effet, depuis quelque temps, il contemplait avec terreur cette beauté qui apparaissait chaque jour plus rayonnante sur le doux visage de Cosette. Aube riante pour tous, lugubre pour lui. Dès le lendemain du jour où elle s'était dit : Décidément, je suis belle ! Cosette fit attention à sa toilette.

À partir de ce moment, il remarqua que Cosette, qui autrefois demandait toujours à rester, disant : Père, je m'amuse mieux ici avec vous, demandait maintenant toujours à sortir. En effet, à quoi bon avoir une jolie figure et une délicieuse toilette, si on ne les montre pas ?

Ce fut à cette époque que Marius, après six mois écoulés, la revit au Luxembourg.

3

Peurs de Cosette

Dans la première quinzaine d'avril, Jean Valjean fit un voyage. Cela lui arrivait de temps en temps, à de très longs intervalles. Il restait absent un ou deux jours au plus. Où allait-il ? personne ne le savait, pas même Cosette. C'était en général quand l'argent manquait à la maison que Jean Valjean faisait ces petits voyages.

Jean Valjean était donc absent. Il avait dit : Je reviendrai dans trois jours.

Le soir, Cosette était seule dans le salon. Pour se désennuyer, elle avait ouvert son piano-orgue et elle s'était mise à chanter. Quand elle eut fini, elle demeura pensive.

Tout à coup il lui sembla qu'elle entendait marcher dans le jardin. Il était dix heures du soir.

Elle alla près du volet du salon qui était fermé et y colla son oreille.

Il lui parut que c'était le pas d'un homme, et qu'on marchait très doucement.

Elle monta rapidement au premier, dans sa chambre, ouvrit un vasistas percé dans son volet, et regarda dans le jardin. C'était le moment de la pleine lune. On y voyait comme s'il eût fait jour.

Il n'y avait personne.

Elle ouvrit la fenêtre. Le jardin était absolument calme, et tout ce qu'on apercevait de la rue était désert comme toujours.

Cosette pensa qu'elle s'était trompée et n'y songea plus.

Le lendemain, moins tard, à la tombée de la nuit, elle se promenait dans le jardin. Au milieu des pensées confuses qui l'occupaient, elle croyait bien percevoir par instants un bruit pareil au bruit de la veille, mais elle se disait que rien ne ressemble à un pas qui marche dans l'herbe comme le froissement de deux branches qui se déplacent d'elles-mêmes, et elle n'y prenait pas garde. Elle ne voyait rien d'ailleurs.

Elle sortit de « la broussaille » ; il lui restait à traverser une petite pelouse verte pour regagner le perron. La lune qui venait de se lever derrière elle projeta, comme Cosette sortait du massif, son ombre devant elle sur cette pelouse. Cosette s'arrêta terrifiée. À côté de son ombre, la lune découpait distinctement sur le gazon une autre ombre singulièrement effrayante et terrible, une ombre qui avait un chapeau rond.

Elle fut une minute sans pouvoir parler, ni crier, ni appeler, ni bouger, ni tourner la tête. Enfin elle rassembla tout son courage et se retourna résolument.

Il n'y avait personne.

Elle regarda à terre. L'ombre avait disparu.

Elle rentra dans la broussaille, fureta hardiment dans les coins, alla jusqu'à la grille, et ne trouva rien.

Elle se sentit vraiment glacée. Était-ce encore une hallu-cination ?

Le lendemain Jean Valjean revint. Cosette lui conta ce qu'elle avait cru entendre et voir.

Jean Valjean devint soucieux.

— Ce ne peut être rien, lui dit-il.

Il la quitta sous un prétexte et alla dans le jardin, et elle l'aperçut qui examinait la grille avec beaucoup d'atten-tion.

Dans la nuit elle se réveilla ; cette fois elle était sûre, elle entendait distinctement marcher tout près du perron au-dessous de sa fenêtre. Elle courut à son vasistas et l'ouvrit. Il y avait en effet dans le jardin un homme qui tenait un gros bâton à la main. Au moment où elle allait crier, la lune éclaira le profil de l'homme. C'était son père.

Jean Valjean passa dans le jardin cette nuit-là et les deux nuits qui suivirent. Cosette le vit par le trou de son volet.

La troisième nuit, la lune décroissait et commençait à se lever plus tard, il pouvait être une heure du matin, elle entendit un grand éclat de rire et la voix de son père qui l'appelait :

— Cosette !

Elle se jeta à bas du lit, passa sa robe de chambre et ouvrit sa fenêtre.

Son père était en bas sur la pelouse.

— Je te réveille pour te rassurer, dit-il, regarde. Voici ton ombre en chapeau rond.

Et il lui montrait sur le gazon une ombre portée que la lune dessinait et qui ressemblait en effet assez bien au spectre d'un homme qui eût un chapeau rond. C'était une silhouette produite par un tuyau de cheminée en tôle, à chapiteau, qui s'élevait au-dessus d'un toit voisin.

Jean Valjean redevint tout à fait tranquille ; quant à Cosette, elle ne s'interrogea point sur cette singularité[136] d'un tuyau de poêle qui craint d'être pris en flagrant délit et qui se retire quand on regarde son ombre. Cosette se rasséréna pleinement.

À quelques jours de là cependant un nouvel incident se produisit.

Dans le jardin, près de la grille sur la rue, il y avait un banc de pierre défendu par une charmille[137] du regard des curieux, mais auquel pourtant, à la rigueur, le bras d'un passant pouvait atteindre à travers la grille et la charmille.

Un soir de ce même mois d'avril, Jean Valjean était sorti, Cosette, après le soleil couché, s'était assise sur ce banc. Le vent fraîchissait dans les arbres. Cosette songeait ; une tristesse sans objet la gagnait peu à peu.

Cosette se leva, fit lentement le tour du jardin, marchant dans l'herbe inondée de rosée. Puis elle revint au banc.

Au moment de s'y rasseoir, elle remarqua à la place qu'elle avait quittée une assez grosse pierre qui n'y était évidemment pas l'instant d'auparavant.

Il y avait dessous quelque chose qui ressemblait à une lettre.

C'était une enveloppe de papier blanc. Cosette s'en saisit. Il n'y avait pas d'adresse d'un côté, pas de cachet de l'autre. Cosette tira de l'enveloppe ce qu'elle contenait, un petit cahier de papier, dont chaque page était numérotée et portait quelques lignes écrites d'une écriture assez jolie, pensa Cosette.

Cosette chercha un nom, il n'y en avait pas ; une signature, il n'y en avait pas. À qui cela était-il adressé ? À elle

---

136. Bizarrerie.
137. Allée d'arbres.

probablement, puisqu'une main avait déposé le paquet sur son banc. De qui cela venait-il ?

Voici ce qu'elle lut :

La réduction de l'univers à un seul être, la dilatation d'un seul être jusqu'à Dieu, voilà l'amour.

L'avenir appartient encore bien plus aux cœurs qu'aux esprits. Aimer, voilà la seule chose qui puisse occuper et remplir l'éternité. À l'infini, il faut l'inépuisable.

Le jour où une femme qui passe devant vous dégage de la lumière en marchant, vous êtes perdu, vous aimez. Vous n'avez plus qu'une chose à faire, penser à elle si fixement qu'elle soit contrainte de penser à vous.

Ce que l'amour commence ne peut être achevé que par Dieu.

Quelle chose sombre de ne pas savoir l'adresse de son âme !

J'ai rencontré dans la rue un jeune homme très pauvre qui aimait. Son chapeau était vieux, son habit était usé ; il avait les coudes troués ; l'eau passait à travers ses souliers et les astres à travers son âme.

S'il n'y avait pas quelqu'un qui aime, le soleil s'éteindrait.

Cosette fut dans une sorte d'étourdissement. Il lui semblait par moments qu'elle entrait dans le chimérique ; elle se disait : est-ce réel ? Alors elle tâtait le papier bien-aimé sous sa robe, elle le pressait contre son cœur, elle en sentait les angles sur sa chair, et si Jean Valjean l'eût vue en ce moment, il eût frémi devant cette joie lumineuse et inconnue qui lui débordait des paupières.

4

Les vieux sont faits pour sortir à propos

À la brune, elle descendit au jardin. Toussaint était occupée à sa cuisine qui donnait sur l'arrière-cour.

Elle se mit à marcher sous les branches et arriva ainsi au banc. La pierre y était restée.

Tout à coup, elle eut cette impression indéfinissable qu'on éprouve, même sans voir, lorsqu'on a quelqu'un debout derrière soi.

Elle tourna la tête et se dressa. C'était lui.

Il était tête nue. Il paraissait pâle et amaigri. On distinguait à peine son vêtement noir. Le crépuscule blêmissait son beau front et couvrait ses yeux de ténèbres.

Son chapeau était jeté à quelques pas dans les broussailles.

Cosette, prête à défaillir, ne poussa pas un cri. Elle reculait lentement, car elle se sentait attirée. Lui ne bougeait point. À je ne sais quoi d'ineffable et de triste qui l'enveloppait, elle sentait le regard de ses yeux qu'elle ne voyait pas.

Cosette, en reculant, rencontra un arbre et s'y adossa. Sans cet arbre, elle fût tombée.

Alors elle entendit sa voix, cette voix qu'elle n'avait vraiment jamais entendue, qui s'élevait à peine au-dessus du frémissement des feuilles, et qui murmurait :

— Pardonnez-moi, je suis là. J'ai le cœur gonflé, je ne pouvais pas vivre comme j'étais, je suis venu. Avez-vous lu ce que j'avais mis là, sur ce banc ? Me reconnaissez-vous un peu ? N'ayez pas peur de moi. Voilà du temps déjà, vous rappelez-vous où vous m'avez regardé ? c'était dans le Luxembourg, près du gladiateur. Depuis bien longtemps, je ne vous ai plus vue. Si vous saviez ! je vous adore, moi ! Pardonnez-moi, je vous parle, je ne sais pas ce que je vous dis, je vous fâche peut-être ; est-ce que je vous fâche ?

— Ô ma mère ! dit-elle.

Et elle s'affaissa sur elle-même comme si elle se mourait.

Il la prit, elle tombait, il la prit dans ses bras, il la serra étroitement sans avoir conscience de ce qu'il faisait.

Elle lui prit une main et la posa sur son cœur. Il sentit le papier qui y était, il balbutia :

— Vous m'aimez donc ?

Elle répondit d'une voix si basse que ce n'était plus qu'un souffle qu'on entendait à peine :

— Tais-toi ! tu le sais !

Et elle cacha sa tête rouge dans le sein du jeune homme superbe et enivré.

Il tomba sur le banc, elle près de lui. Ils n'avaient plus de paroles. Les étoiles commençaient à rayonner. Comment se fit-il que leurs lèvres se rencontrèrent ? Comment se fait-il que l'oiseau chante, que la neige fonde, que la rose s'ouvre, que mai s'épanouisse, que l'aube blanchisse derrière les arbres noirs au sommet frissonnant des collines ?

Un baiser, et ce fut tout.

Tous deux tressaillirent, et ils se regardèrent dans l'ombre avec des yeux éclatants.

Ils ne sentaient ni la nuit fraîche, ni la pierre froide, ni la terre humide, ni l'herbe mouillée, ils se regardaient et ils avaient le cœur plein de pensées. Ils s'étaient pris les mains, sans savoir.

Peu à peu ils se parlèrent. L'épanchement[138] succéda au silence qui est la plénitude. La nuit était sereine et splendide au-dessus de leur tête. Ils se racontèrent, avec une foi candide[139] dans leurs illusions, tout ce que l'amour, la jeunesse et ce reste d'enfance qu'ils avaient leur mettaient dans la pensée.

Quand ils eurent fini, quand ils se furent tout dit, elle posa sa tête sur son épaule et lui demanda :

— Comment vous appelez-vous ?

— Je m'appelle Marius, dit-il. Et vous ?

— Je m'appelle Cosette.

---

138. Longue conversation.
139. Pure.

5

Méchante espièglerie du vent

Depuis 1823, tandis que la gargote de Montfermeil sombrait et s'engloutissait peu à peu, non dans l'abîme d'une banqueroute[140], mais dans le cloaque[141] des petites dettes, les mariés Thénardier avaient eu deux autres enfants, mâles tous deux. Cela faisait cinq : deux filles et trois garçons. C'était beaucoup.

La Thénardier s'était débarrassée des deux derniers, encore en bas âge et tout petits, avec un bonheur singulier. La Thénardier n'était mère que jusqu'à ses filles. Sa maternité finissait là. Sa haine du genre humain commençait à ses garçons.

Expliquons comment les Thénardier étaient parvenus à s'exonérer de leurs deux derniers enfants, et même à en tirer profit.

---

140. Faillite.
141. Ici, déchéance.

Cette fille Magnon, dont il a été question plus haut, était la même qui avait réussi à faire renter[142] par le bonhomme Gillenormand les deux enfants qu'elle avait. On se souvient de la grande épidémie de croup[143] qui désola Paris, il y a trente-cinq ans. Dans cette épidémie, la Magnon perdit ses deux garçons, encore en très bas âge. Ce fut un coup. Ces enfants étaient précieux à leur mère ; ils représentaient quatre-vingts francs par mois fort exactement soldés, au nom de M. Gillenormand, par son receveur de rentes. Les enfants morts, la rente était enterrée. La Magnon chercha un expédient. Dans cette ténébreuse maçonnerie[144] du mal dont elle faisait partie, on sait tout, on se garde le secret, et l'on s'entraide. Il fallait deux enfants à la Magnon ; la Thénardier en avait deux. Même sexe, même âge. Les petits Thénardier devinrent les petits Magnon.

L'état civil, n'étant averti par rien, ne réclama pas, et la substitution se fit le plus simplement du monde. Seulement le Thénardier exigea, pour ce prêt d'enfants, dix francs par mois que la Magnon promit, et même paya. Il va sans dire que M. Gillenormand continua de s'exécuter. Il ne s'aperçut pas du changement.

La Magnon était une sorte d'élégante du crime. Elle faisait de la toilette. Elle partageait son logis, meublé d'une façon maniérée et misérable, avec une savante voleuse anglaise. On l'appelait *mamselle Miss.*

Les deux petits échus à la Magnon n'eurent pas à se plaindre. Recommandés par les quatre-vingts francs, ils étaient ménagés, comme tout ce qui est exploité.

Ils passèrent ainsi quelques années.

---

142. Faire verser une rente.
143. Grave maladie de la gorge.
144. Ici, société secrète.

Tout à coup, ces deux pauvres enfants, jusque-là assez protégés, même par leur mauvais sort, furent brusquement jetés dans la vie.

Une arrestation en masse de malfaiteurs comme celle du galetas Jondrette, nécessairement compliquée de perquisitions[145] et d'incarcérations[146] ultérieures, est un véritable désastre pour cette hideuse contre-société occulte[147] qui vit sous la société publique ; une aventure de ce genre entraîne toutes sortes d'écroulements dans ce monde sombre.

La catastrophe des Thénardier produisit la catastrophe de la Magnon.

Un jour, il se fit rue Clocheperce une subite descente de police ; la Magnon fut saisie, ainsi que mamselle Miss, et toute la maisonnée, qui était suspecte, passa dans le coup de filet. Les deux petits garçons jouaient pendant ce temps-là dans une arrière-cour et ne virent rien de la razzia[148]. Quand ils voulurent rentrer, ils trouvèrent la porte fermée et la maison vide.

L'aîné menant le cadet, ils se mirent à errer au hasard dans les rues.

Le printemps à Paris est assez souvent traversé par des bises aigres et dures. Un soir que ces bises soufflaient rudement, le petit Gavroche toujours grelottant gaîment sous ses loques, se tenait debout et comme en extase devant la boutique d'un perruquier des environs de l'Orme-Saint-Gervais. Il avait l'air d'admirer profondément une mariée en cire qui tournait derrière la vitre, montrant, entre deux

---

145. Fouille du domicile par la police.
146. Le fait de mettre en prison.
147. Secrète.
148. L'arrestation rapide de plusieurs personnes en même temps.

quinquets[149], son sourire aux passants ; mais en réalité il observait la boutique afin de voir s'il ne pourrait pas « chiper » dans la devanture un pain de savon, qu'il irait ensuite revendre un sou à un « coiffeur » de la banlieue. Il lui arrivait souvent de déjeuner d'un de ces pains-là. Il appelait ce genre de travail, pour lequel il avait du talent, « faire la barbe aux barbiers ».

Le barbier, dans sa boutique chauffée d'un bon poêle, rasait une pratique[150] et jetait de temps en temps un regard de côté à cet ennemi.

Pendant que Gavroche examinait la mariée, deux enfants de taille inégale, assez proprement vêtus, paraissant l'un sept ans, l'autre cinq, tournèrent timidement le bec de cane et entrèrent dans la boutique en demandant on ne sait quoi. Ils parlaient tous deux à la fois, et leurs paroles étaient inintelligibles parce que les sanglots coupaient la voix du plus jeune et que le froid faisait claquer les dents de l'aîné. Le barbier se tourna avec un visage furieux, et sans quitter son rasoir, les poussa dans la rue et referma sa porte en disant :

— Venir refroidir le monde pour rien !

Les deux enfants se remirent en marche en pleurant. Il commençait à pleuvoir.

Le petit Gavroche courut après eux et les aborda :

— Qu'est-ce que vous avez donc, moutards ?

— Nous ne savons pas où coucher, répondit l'aîné.

Prenant, à travers sa supériorité un peu goguenarde, un accent d'autorité attendrie et de protection douce :

— Momacques[151], venez avec moi, dit Gavroche.

_____

149. Lampes à huile.
150. Client.
151. Mômes (argot).

Et les deux enfants le suivirent comme ils auraient suivi un archevêque. Ils avaient cessé de pleurer.

Gavroche leur fit monter la rue Saint-Antoine dans la direction de la Bastille.

Comme ils passaient devant un de ces épais treillis grillés qui indiquent la boutique d'un boulanger, car on met le pain comme l'or derrière des grillages de fer, Gavroche se tourna :

— Ah çà, mômes, avons-nous dîné ?

— Monsieur, répondit l'aîné, nous n'avons pas mangé depuis tantôt ce matin.

— Vous êtes donc sans père ni mère ? reprit majestueusement Gavroche.

— Faites excuse, monsieur, nous avons papa et maman, mais nous ne savons pas où ils sont.

— Des fois, cela vaut mieux que de le savoir, dit Gavroche qui était un penseur.

Gavroche s'était arrêté, et depuis quelques minutes il tâtait et fouillait toutes sortes de recoins qu'il avait dans ses haillons.

Enfin il releva la tête d'un air qui ne voulait qu'être satisfait, mais qui était en réalité triomphant.

— Calmons-nous, les momignards. Voici de quoi souper pour trois.

Et il tira d'une de ses poches un sou.

Sans laisser aux deux petits le temps de s'ébahir, il les poussa tous deux devant lui dans la boutique du boulanger, et mit son sou sur le comptoir en criant :

— Garçon ! cinque centimes de pain.

Le boulanger, qui était le maître en personne, prit un pain et un couteau.

— En trois morceaux, garçon ! reprit Gavroche, et il ajouta avec dignité :

— Nous sommes trois.

Quand le pain fut coupé, le boulanger encaissa le sou, et Gavroche dit aux deux enfants :

— Morfilez.

Les petits garçons le regardèrent interdits.

Gavroche se mit à rire :

— Ah ! tiens, c'est vrai, ça ne sait pas encore, c'est si petit.

Et il reprit :

— Mangez.

En même temps, il leur tendait à chacun un morceau de pain.

Il y avait un morceau plus petit que les deux autres ; il le prit pour lui.

Les pauvres enfants étaient affamés, y compris Gavroche. Tout en arrachant leur pain à belles dents, ils atteignaient l'angle de cette morose rue des Ballets au fond de laquelle on aperçoit le guichet bas et hostile de la Force :

— Tiens, c'est toi, Gavroche ? dit quelqu'un.

— Tiens, c'est toi, Montparnasse ? dit Gavroche.

C'était un homme qui venait d'aborder le gamin, et cet homme n'était autre que Montparnasse déguisé, avec des besicles[152] bleues, mais reconnaissable pour Gavroche.

— Mâtin ! poursuivit Gavroche, tu as une pelure couleur cataplasme de graine de lin et des lunettes bleues comme un médecin. Tu as du style, parole de vieux !

— Chut, fit Montparnasse, pas si haut ! Où vas-tu ?

Gavroche montra ses deux protégés et dit :

— Je vas coucher ces enfants-là chez moi.

— Où ça chez toi ? Tu loges donc ?

— Oui, je loge dans l'éléphant, dit Gavroche.

---

152. Lunettes.

— Ah oui ! l'éléphant. Y est-on bien ?

— Très bien, fit Gavroche. Là, vrai, chenument. Il n'y a pas de vents coulis[153] comme sous les ponts.

— Comment y entres-tu ? Il y a donc un trou ?

— Parbleu ! Mais il ne faut pas le dire. C'est entre les jambes de devant. Les coqueurs[154] ne l'ont pas vu.

Montparnasse se mit à rire.

— Où diable as-tu pris ces mions-là ?

— C'est des momichards dont un perruquier m'a fait cadeau.

Cependant Montparnasse était devenu pensif.

— Tu m'as reconnu bien aisément, murmura-t-il.

Il prit dans sa poche deux petits objets qui n'étaient autre chose que deux tuyaux de plume enveloppés de coton et s'en introduisit un dans chaque narine. Ceci lui faisait un autre nez.

— Ça te change, dit Gavroche, tu es moins laid, tu devrais garder toujours ça.

Malheureusement Montparnasse était soucieux.

Il posa sa main sur l'épaule de Gavroche et lui dit en appuyant sur les mots :

— Écoute ce que je te dis, garçon, si j'étais sur la place, avec mon dogue, ma dague et ma digue, et si vous me prodiguiez dix gros sous, je ne refuserais pas d'y goupiner[155], mais nous ne sommes pas le mardi gras.

Cette phrase bizarre produisit sur le gamin un effet singulier. Il se retourna vivement, promena avec une attention profonde ses petits yeux brillants autour de lui, et aperçut, à quelques pas, un sergent de ville qui leur tournait le dos.

---

153. Courant d'air.
154. Gens de police.
155. Travailler.

Gavroche laissa échapper un : ah, bon ! qu'il réprima sur-le-champ, et, secouant la main de Montparnasse :

— Eh bien, bonsoir, fit-il, je m'en vas à mon éléphant avec mes mômes. Une supposition que tu aurais besoin de moi une nuit, tu viendrais me trouver là. Je loge à l'entresol. Il n'y a pas de portier. Tu demanderais monsieur Gavroche.

— C'est bon, dit Montparnasse.

Et ils se séparèrent, Montparnasse cheminant vers la Grève et Gavroche vers la Bastille. Le petit de cinq ans, traîné par son frère que traînait Gavroche.

6

L'éléphant de la Bastille

En arrivant près de l'éléphant, place de la Bastille, Gavroche comprit l'effet que l'infiniment grand peut produire sur l'infiniment petit, et dit :

— Moutards ! n'ayez pas peur.

Puis il entra par une lacune de la palissade dans l'enceinte de l'éléphant et aida les mômes à enjamber la brèche. Les deux enfants, un peu effrayés, suivaient sans dire mot Gavroche et se confiaient à cette petite providence en guenilles qui leur avait donné du pain et leur avait promis un gîte.

Il y avait là, couchée le long de la palissade, une échelle qui servait le jour aux ouvriers du chantier voisin. Gavroche la souleva avec une singulière vigueur, et l'appliqua contre une des jambes de devant de l'éléphant. Vers le point où l'échelle allait aboutir, on distinguait une espèce de trou noir dans le ventre du colosse.

Gavroche montra l'échelle et le trou à ses hôtes et leur dit :

— Montez et entrez.

Les deux petits garçons se regardèrent terrifiés.

— Vous avez peur, mômes ? s'écria Gavroche. Vous allez voir.

Il étreignit le pied rugueux de l'éléphant, et en un clin d'œil, sans daigner se servir de l'échelle, il arriva à la crevasse.

— Eh bien, cria-t-il, montez donc, les momignards ! Vous allez voir comme on est bien ! Monte, toi ! dit-il à l'aîné, je te tends la main.

Et quand il fut à sa portée, il l'empoigna brusquement par le bras et le tira à lui.

— Maintenant, fit Gavroche, attends-moi. Monsieur, prenez la peine de vous asseoir.

Et, sortant de la crevasse comme il y était entré, il se laissa glisser avec l'agilité d'un ouistiti le long de la jambe de l'éléphant, il tomba debout sur ses pieds dans l'herbe, saisit le petit de cinq ans à bras-le-corps et le planta au beau milieu de l'échelle, puis il se mit à monter derrière lui en criant à l'aîné :

— Je vas le pousser, tu vas le tirer.

En un instant le petit fut monté dans le trou sans avoir eu le temps de se reconnaître, et Gavroche, entrant après lui, repoussant d'un coup de talon l'échelle qui tomba sur le gazon, se mit à battre des mains et cria :

— Les mioches, vous êtes chez moi.

Gavroche était en effet chez lui.

Le trou par où Gavroche était entré était une brèche à peine visible sous le ventre de l'éléphant, et si étroite qu'il n'y avait guère que des chats et des mômes qui puissent y passer.

— Commençons, dit Gavroche, par dire au portier que nous n'y sommes pas.

Et plongeant dans l'obscurité avec certitude comme quelqu'un qui connaît son appartement, il prit une planche et en boucha le trou.

Gavroche replongea dans l'obscurité.

Une clarté subite leur fit cligner les yeux ; Gavroche venait d'allumer un de ces bouts de ficelle trempés dans la résine qu'on appelle rats de cave. Le rat de cave, qui fumait plus qu'il n'éclairait, rendait confusément visible le dedans de l'éléphant.

Les deux enfants commençaient à regarder l'appartement avec moins d'effroi ; mais Gavroche ne leur laissa pas plus longtemps le loisir de la contemplation.

— Vite, dit-il.

Et il les poussa vers le fond de la chambre. Là était son lit. Le matelas était une natte de paille, la couverture un assez vaste pagne de grosse laine grise fort chaude et presque neuve.

Ils s'étaient étendus tous trois sur la natte.

Gavroche avait toujours le rat de cave à la main.

— Maintenant, dit-il, pioncez ! Je vais supprimer le candélabre[156].

Vers la fin de cette heure qui précède immédiatement le point du jour, un homme déboucha de la rue Saint-Antoine en courant, traversa la place et se glissa entre les palissades jusque sous le ventre de l'éléphant. Arrivé sous l'éléphant, il fit entendre un cri bizarre :

— Kirikikiou !

Une voix claire, gaie et jeune, répondit du ventre de l'éléphant :

— Oui.

_____

156. Grand chandelier, lampadaire (ironique).

Presque immédiatement, la planche qui fermait le trou se dérangea et donna passage à un enfant qui descendit le long du pied de l'éléphant et vint lestement tomber près de l'homme. C'était Gavroche. L'homme était Montparnasse.

— Nous avons besoin de toi, dit Montparnasse. Viens nous donner un coup de main.

Le gamin ne demanda pas d'autre éclaircissement.

— Me v'là, dit-il.

Et tous deux se dirigèrent vers la rue Saint-Antoine.

7

Les péripéties de l'évasion

Voici ce qui avait eu lieu cette même nuit à la Force :

Une évasion avait été concertée entre Babet, Brujon, Gueulemer et Thénardier, quoique Thénardier fût au secret. Montparnasse devait les aider du dehors.

Brujon, ayant passé un mois dans une chambre de punition, avait eu le temps, premièrement d'y tresser une corde, deuxièmement, d'y mûrir un plan.

Comme on le réputait fort dangereux dans la cour Charlemagne, on le mit dans le Bâtiment-Neuf. La première chose qu'il trouva dans le Bâtiment-Neuf, ce fut Gueulemer, la seconde, ce fut un clou ; Gueulemer, c'est-à-dire le crime, un clou, c'est-à-dire la liberté.

Le Bâtiment-Neuf contenait quatre dortoirs superposés et un comble qu'on appelait le Bel-Air.

Gueulemer et Brujon étaient dans le même dortoir. On les avait mis par précaution dans l'étage d'en bas.

Thénardier se trouvait précisément au-dessus de leur tête dans ce comble qualifié de Bel-Air. Quand on y entrait par l'extrémité nord, on avait à sa gauche les quatre lucarnes, et à sa droite, faisant face aux lucarnes, quatre cages carrées, construites jusqu'à hauteur d'appui en maçonnerie et le reste jusqu'au toit en barreaux de fer.

Thénardier était au secret dans une de ces cages. On n'a jamais pu découvrir comment, et par quelle connivence, il avait réussi à s'y procurer et à y cacher une bouteille de ce vin auquel se mêle un narcotique[157] et que la bande des *Endormeurs* a rendu célèbre.

Il y a dans beaucoup de prisons des employés traîtres, mi-partis geôliers et voleurs, qui aident aux évasions, qui vendent à la police une domesticité infidèle, et qui font danser l'anse du panier à salade[158].

Dans cette même nuit donc, où le petit Gavroche avait recueilli les deux enfants errants, Brujon et Gueulemer, qui savaient que Babet, évadé le matin même, les attendait dans la rue ainsi que Montparnasse, se levèrent doucement et se mirent à percer avec le clou que Brujon avait trouvé le tuyau de cheminée auquel leurs lits touchaient. Les gravois tombaient sur le lit de Brujon, de sorte qu'on ne les entendait pas. Les giboulées mêlées de tonnerre ébranlaient les portes sur leurs gonds et faisaient dans la prison un vacarme affreux et utile. Brujon était adroit ; Gueulemer était vigoureux. Avant qu'aucun bruit fût parvenu au surveillant couché dans la cellule grillée qui avait jour sur le dortoir, le mur était percé, la cheminée escaladée, le treillis de fer qui fermait l'orifice supérieur du tuyau forcé, et les deux redoutables bandits sur le toit.

---

157. Somnifère.

158. Se dit d'un domestique qui fait payer à son patron les commissions plus cher que le prix payé. Ici le panier est le « panier à salade » de la police.

La pluie et le vent redoublaient, le toit glissait.

Un abîme de six pieds de large et de quatre-vingts pieds de profondeur les séparait du mur de ronde. Au fond de cet abîme ils voyaient reluire dans l'obscurité le fusil d'un factionnaire. Ils attachèrent par un bout aux tronçons des barreaux de la cheminée qu'ils venaient de tordre la corde que Brujon avait filée dans son cachot, lancèrent l'autre bout par-dessus le mur de ronde, franchirent d'un bond l'abîme, se cramponnèrent au chevron du mur, l'enjambèrent, se laissèrent glisser l'un après l'autre le long de la corde sur un petit toit qui touche à la maison des bains, ramenèrent leur corde à eux, sautèrent dans la cour des bains, la traversèrent, poussèrent le vasistas du portier, auprès duquel pendait son cordon, tirèrent le cordon, ouvrirent la porte cochère, et se trouvèrent dans la rue.

Quelques instants après ils avaient rejoint Babet et Montparnasse qui rôdaient dans les environs.

En tirant la corde à eux, ils l'avaient cassée, et il en était resté un morceau attaché à la cheminée sur le toit.

Cette nuit-là, Thénardier était prévenu, sans qu'on ait pu éclaircir de quelle façon, et ne dormait pas.

Vers une heure du matin, la nuit étant très noire, il vit passer sur le toit, dans la pluie et dans la bourrasque, devant la lucarne qui était vis-à-vis de sa cage, deux ombres. L'une s'arrêta à la lucarne le temps d'un regard. C'était Brujon. Thénardier le reconnut et comprit. Cela lui suffit.

Thénardier avait obtenu la permission de conserver une espèce de cheville en fer dont il se servait pour clouer son pain dans une fente de la muraille, « afin, disait-il, de le préserver des rats ». Comme on gardait Thénardier à vue, on n'avait point trouvé d'inconvénient à cette cheville.

À deux heures du matin on vint changer le factionnaire[159] qui était un vieux soldat, et on le remplaça par un conscrit[160]. Deux heures après, à quatre heures, quand on vint relever le conscrit, on le trouva endormi et tombé à terre comme un bloc près de la cage de Thénardier. Quant à Thénardier, il n'y était plus. Ses fers brisés étaient sur le carreau. Il y avait un trou au plafond de sa cage, et au-dessus, un autre trou dans le toit. Une planche de son lit avait été arrachée et sans doute emportée, car on ne la retrouva point. On saisit aussi dans la cellule une bouteille à moitié vidée qui contenait le reste du vin stupéfiant avec lequel le soldat avait été endormi. La bayonnette du soldat avait disparu.

Thénardier, en arrivant sur le toit du Bâtiment-Neuf, avait trouvé le reste de la corde de Brujon qui pendait aux barreaux de la trappe supérieure de la cheminée, mais ce bout cassé étant beaucoup trop court, il n'avait pu s'évader par-dessus le chemin de ronde comme avaient fait Brujon et Gueulemer. Il était trois heures du matin.

Il attendait là, pâle, épuisé, désespéré.

Dans cette angoisse, il vit tout à coup, la rue étant encore tout à fait obscure, un homme qui se glissait le long des murailles et qui venait du côté de la rue Pavée s'arrêter dans le renfoncement au-dessus duquel Thénardier était comme suspendu. Cet homme fut rejoint par un second qui marchait avec la même précaution, puis par un troisième, puis par un quatrième.

Thénardier vit passer devant ses yeux quelque chose qui ressemblait à l'espérance, ces hommes parlaient argot.

Il n'osait les appeler, un cri entendu pouvait tout perdre, il eut une idée, une dernière, une lueur ; il prit dans sa

159. Gardien.
160. Jeune soldat qui fait le service militaire.

poche le bout de la corde de Brujon qu'il avait détaché de la cheminée du Bâtiment-Neuf, et le jeta dans l'enceinte de la palissade.

Cette corde tomba à leurs pieds.

— L'aubergiste est là, dit Montparnasse.

Ils levèrent les yeux. Thénardier avança un peu la tête.

— Vite ! dit Montparnasse, as-tu l'autre bout de la corde, Brujon ?

— Oui.

— Noue les deux bouts ensemble, nous lui jetterons la corde, il la fixera au mur, il en aura assez pour descendre.

Thénardier se risqua à élever la voix.

— Je suis transi. Je ne puis plus bouger.

— Tu te laisseras glisser, nous te recevrons.

— J'ai les mains gourdes.

— Noue seulement la corde au mur.

— Je ne pourrai pas.

— Il faut que l'un de nous monte, dit Montparnasse.

— Trois étages ! fit Brujon.

Un ancien conduit de cheminée rampait le long du mur et montait presque jusqu'à l'endroit où l'on apercevait Thénardier. Ce conduit lézardé et tout crevassé était fort étroit.

— On pourrait monter par là, fit Montparnasse.

— Par ce tuyau ? s'écria Babet, un orgue jamais ! il faudrait un mion.

— Où trouver un moucheron ? dit Gueulemer.

— Attendez, dit Montparnasse. J'ai l'affaire.

Il entrouvrit doucement la porte de la palissade, s'assura qu'aucun passant ne traversait la rue, sortit avec précaution, referma la porte derrière lui et partit en courant dans la direction de la Bastille.

Sept ou huit minutes s'écoulèrent, huit mille siècles pour Thénardier. Enfin, Montparnasse parut, essoufflé, et amenant Gavroche. La pluie continuait de faire la rue complètement déserte.

Le petit Gavroche regarda ces figures de bandits d'un air tranquille. L'eau lui dégouttait des cheveux. Gueulemer lui adressa la parole.

— Mioche, es-tu un homme ?

Gavroche haussa les épaules et répondit :

— Un môme comme mézig[161] est un orgue[162], et des orgues comme vousailles[163] sont des mômes. Qu'est-ce qu'il vous faut ?

Montparnasse répondit :

— Grimper par ce conduit avec cette veuve. Il y a un homme là-haut à sauver.

Le gamin se dirigea vers le conduit où il était facile d'entrer grâce à une large crevasse qui touchait au toit. Au moment où il allait monter, Thénardier, qui voyait le salut et la vie s'approcher, se pencha au bord du toit. Gavroche le reconnut.

— Tiens ! dit-il, c'est mon père !... Oh ! cela n'empêche pas.

Et prenant la corde dans ses dents, il commença résolument l'escalade.

Un moment après, Thénardier était dans la rue.

— C'est fini ? vous n'avez plus besoin de moi, les hommes ? vous voilà tirés d'affaire. Je m'en vas. Il faut que j'aille lever mes mômes.

---

161. Moi.
162. Homme (argot).
163. Vous (argot).

Quand Gavroche eut disparu au tournant de la rue des Ballets, Babet prit Thénardier à part.

— As-tu regardé ce mion ? lui demanda-t-il.

— Quel mion ?

— Le mion qui a grimpé au mur et t'a porté la corde.

— Pas trop.

— Eh bien, je ne sais pas, mais il me semble que c'est ton fils.

— Bah ! dit Thénardier, crois-tu ?

8

Marius donne son adresse à Cosette

Éponine, ayant reconnu à travers la grille l'habitante de cette rue Plumet, dont elle était arrivée à se procurer l'adresse, y avait conduit Marius. Marius n'eut qu'à forcer un peu un des barreaux de la grille décrépite qui vacillait dans son alvéole rouillé pour passer aisément.

À partir de cette heure bénie et sainte où un baiser fiança ces deux âmes, Marius vint là tous les soirs.

Jean Valjean, lui, ne se doutait de rien.

La vieille Toussaint, qui se couchait de bonne heure, ne songeait qu'à dormir, une fois sa besogne faite, et ignorait tout comme Jean Valjean.

Un soir, Marius s'acheminait au rendez-vous par le boulevard des Invalides ; comme il allait tourner l'angle de la rue Plumet, il entendit qu'on disait tout près de lui :

— Bonsoir, monsieur Marius.

Il leva la tête, et reconnut Éponine.

Il répondit avec quelque embarras :

— Ah ! C'est vous, Éponine ?

— Pourquoi me dites-vous vous ? Est-ce que je vous ai fait quelque chose ?

— Non, répondit-il.

Certes, il n'avait rien contre elle. Loin de là. Seulement, il sentait qu'il ne pouvait faire autrement, maintenant qu'il disait tu à Cosette, que de dire vous à Éponine.

Comme il se taisait, elle s'écria :

— Dites donc...

Puis elle s'arrêta. Il semblait que les paroles manquaient à cette créature autrefois si insouciante et si hardie. Elle essaya de sourire et ne put. Elle reprit :

— Eh bien !...

Puis elle se tut encore et resta les yeux baissés.

— Bonsoir, monsieur Marius, dit-elle tout à coup brusquement, et elle s'en alla.

Le lendemain, c'était le 3 juin 1832. Marius à la nuit tombante suivait le même chemin que la veille avec les mêmes pensées de ravissement dans le cœur, lorsqu'il aperçut, entre les arbres du boulevard, Éponine qui venait à lui. Deux jours de suite c'était trop. Il se détourna vivement, quitta le boulevard, changea de route, et s'en alla rue Plumet par la rue Monsieur.

Cela fit qu'Éponine le suivit jusqu'à la rue Plumet, sans qu'il s'en doutât. Elle le vit déranger le barreau de la grille, et se glisser dans le jardin.

— Tiens ! dit-elle, il entre dans la maison !

Elle s'approcha de la grille, tâta les barreaux l'un après l'autre et reconnut facilement celui que Marius avait dérangé.

Elle s'assit sur le soubassement de la grille, tout à côté du barreau, comme si elle le gardait. C'était précisément le point où la grille venait toucher le mur voisin. Il y avait là un angle obscur où Éponine disparaissait entièrement.

Elle demeura ainsi plus d'une heure sans bouger et sans souffler, en proie à ses idées.

Pendant qu'elle montait la garde contre la grille, Marius était près de Cosette ; jamais Marius n'avait été plus épris, plus heureux. Mais il avait trouvé Cosette triste. Cosette avait pleuré. Elle avait les yeux rouges.

Le premier mot de Marius avait été :

— Qu'as-tu ?

— Mon père m'a dit ce matin de me tenir prête, qu'il avait des affaires, et que nous allions peut-être partir, qu'il faudrait préparer tout cela d'ici à une semaine, et que nous irions peut-être en Angleterre.

Marius demanda d'une voix faible :

— Et quand partirais-tu ? Et quand reviendrais-tu ?

— Il n'a pas dit quand.

Marius se leva, et dit froidement :

— Cosette, irez-vous ?

Cosette tourna vers lui ses beaux yeux pleins d'angoisse et répondit avec une sorte d'égarement :

— Où ?

— En Angleterre, irez-vous ?

— Pourquoi me dis-tu vous ?

— Je vous demande si vous irez.

— Comment veux-tu que je fasse ? dit-elle en joignant les mains.

— Ainsi, vous irez ?

Cosette prit la main de Marius et l'étreignit sans répondre.

— C'est bon, dit Marius. Alors j'irai ailleurs.

Cosette sentit le sens de ce mot plus encore qu'elle ne le comprit. Elle pâlit tellement que sa figure devint blanche dans l'obscurité. Elle balbutia :

— Viens me rejoindre où je serai !

Marius était retombé dans la réalité. Il cria à Cosette :

— Partir avec vous ! es-tu folle ! Mais il faut de l'argent, et je n'en ai pas ! Aller en Angleterre ! Eh ! je n'ai pas de quoi payer le passeport !

Il vint à elle, tomba à genoux, et, se prosternant lentement, il prit le bout de son pied qui passait sous sa robe et le baisa.

— Maintenant écoute, dit-il. Ne m'attends pas demain.

— Pourquoi ? Un jour sans te voir ! mais c'est impossible.

— Sacrifions un jour pour avoir peut-être toute la vie. Je serai là après-demain à neuf heures précises.

Elle lui prit la tête dans ses deux mains, cherchant à voir dans ses yeux son espérance.

Marius reprit :

— J'y songe, il faut que tu saches mon adresse, il peut arriver des choses, on ne sait pas, je demeure chez cet ami appelé Courfeyrac, rue de la Verrerie, numéro 16.

Il fouilla dans sa poche, en tira un couteau-canif, et avec la lame écrivit sur le plâtre du mur :

16, rue de la Verrerie.

Quand Marius sortit, la rue était déserte.

9

Le vieux cœur et le jeune cœur

Le père Gillenormand avait à cette époque ses quatre-vingt-onze ans bien sonnés. Cependant, depuis quelque temps, sa fille disait : mon père baisse. Le fait est que le vieillard était rempli d'accablement. Depuis quatre ans il attendait Marius, de pied ferme, c'est bien le mot, avec la conviction que ce mauvais petit garnement sonnerait à la porte un jour ou l'autre ; maintenant il en venait, dans de certaines heures mornes, à se dire que pour peu que Marius se fît encore attendre... Ce n'était pas la mort qui lui était insupportable, c'était l'idée que peut-être il ne reverrait plus Marius. L'absence, comme il arrive toujours dans les sentiments naturels et vrais, n'avait fait qu'accroître son amour de grand-père pour l'enfant ingrat qui s'en était allé comme cela.

Un soir, c'était le 4 juin, ce qui n'empêchait pas que le père Gillenormand n'eût un très bon feu dans sa cheminée, il avait congédié sa fille qui cousait dans la pièce voisine. Il était seul dans sa chambre, accoudé à sa table où brûlaient deux bougies sous un abat-jour vert, englouti dans son fauteuil de tapisserie, un livre à la main, mais ne lisant pas.

Au plus profond de sa rêverie, son vieux domestique, Basque, entra et demanda :

— Monsieur peut-il recevoir M. Marius ?

Le vieillard se dressa sur son séant, blême et pareil à un cadavre qui se lève sous une secousse galvanique. Tout son sang avait reflué à son cœur. Il bégaya :

— M. Marius quoi ?

— Je ne sais pas, répondit Basque décontenancé.

Le père Gillenormand balbutia à voix basse :

— Faites entrer.

Et il resta dans la même attitude, la tête branlante; l'œil fixé sur la porte. Elle se rouvrit. Un jeune homme entra. C'était Marius.

Marius s'arrêta à la porte comme attendant qu'on lui dît d'entrer.

Le père Gillenormand, hébété de stupeur et de joie, resta quelques instants sans voir autre chose qu'une clarté : il était prêt à défaillir. C'était bien lui, c'était bien Marius !

Enfin ! après quatre ans ! Il le saisit, pour ainsi dire, tout entier d'un coup d'œil. Il le trouva beau, noble, distingué, grandi, homme fait, l'attitude convenable, l'air charmant. Il eut envie d'ouvrir les bras, de l'appeler, les paroles affectueuses le gonflaient et débordaient de sa poitrine ; enfin toute cette tendresse se fit jour et lui arriva aux lèvres, et, par le contraste qui était le fond de sa nature, il en sortit une dureté. Il dit brusquement :

— Venez-vous me demander pardon ? avez-vous reconnu vos torts ?

Il croyait mettre Marius sur la voie et que « l'enfant » allait fléchir. Marius frissonna ; c'était le désaveu de son père qu'on lui demandait ; il baissa les yeux et répondit :

— Non, monsieur.

— Et alors, s'écria impétueusement le vieillard avec une douleur poignante et pleine de colère, qu'est-ce que vous me voulez ?

Marius joignit les mains, fit un pas et dit d'une voix faible et qui tremblait :

— Monsieur, je sais que ma présence vous déplaît, mais je viens seulement pour vous demander une chose et puis je vais m'en aller tout de suite, je viens vous demander la permission de me marier.

— Vous marier ! à vingt et un ans ! Vous avez arrangé cela ! Vous n'avez plus qu'une permission à demander ! une formalité. Asseyez-vous, monsieur. Ainsi vous voulez vous marier ? à qui ? Peut-on sans indiscrétion demander à qui ?

Il s'arrêta, et, avant que Marius eût eu le temps de répondre, il ajouta violemment :

— Ah çà, vous avez un état[164] ? une fortune faite ? combien gagnez-vous dans votre métier d'avocat ?

— Rien, dit Marius avec une sorte de fermeté et de résolution presque farouche.

— Alors, je comprends, c'est que la fille est riche ?

— Comme moi.

— Quoi ! pas de dot ?

— Non.

— Des espérances ?

— Je ne crois pas.

— Toute nue ! et qu'est-ce que c'est que le père ?

_____

164. Situation professionnelle.

— Je ne sais pas.

— Et comment s'appelle-t-elle ?

— Mlle Fauchelevent.

— Pttt ! fit le vieillard.

— Monsieur ! s'écria Marius.

M. Gillenormand l'interrompit du ton d'un homme qui se parle à lui-même.

— C'est cela, vingt et un ans, pas d'état, Mme la baronne Pontmercy ira acheter deux sous de persil chez la fruitière.

— Monsieur, reprit Marius dans l'égarement de la dernière espérance qui s'évanouit, je vous en supplie ! je vous en conjure, au nom du ciel, à mains jointes, monsieur, je me mets à vos pieds, permettez-moi de l'épouser.

— Ah ! ah ! ah ! Jamais, monsieur ! jamais !

— Mon père !

— Jamais !

À l'accent dont ce « jamais » fut prononcé, Marius perdit tout espoir. Il traversa la chambre à pas lents, la tête ployée, chancelant.

Le père Gillenormand, stupéfait, ouvrit la bouche, étendit les bras, et avant qu'il eût pu prononcer un mot, la porte s'était refermée et Marius avait disparu.

10

Perplexité de Jean Valjean et de Marius

Ce même jour, vers quatre heures de l'après-midi, Jean Valjean était assis seul sur le revers de l'un des talus les plus solitaires du Champ de Mars. Depuis une semaine ou deux, des anxiétés lui étaient venues. Paris n'était pas tranquille ; les troubles politiques offraient cet inconvénient pour quiconque avait quelque chose à cacher dans sa vie que la police était devenue très inquiète et très ombrageuse. Jean Valjean s'était décidé à quitter Paris, et même la France, et à passer en Angleterre. Il avait prévenu Cosette. Avant huit jours il voulait être parti.

Enfin, un fait inexplicable qui venait de le frapper, et dont il était encore tout chaud, avait ajouté à son éveil. Le matin de ce même jour, seul levé dans la maison, et se promenant dans le jardin avant que les volets de Cosette fussent ouverts, il avait aperçu tout à coup cette ligne gravée sur la muraille, probablement avec un clou :

16, rue de la Verrerie.

Cela était tout récent, les entailles étaient blanches dans le vieux mortier noir, une touffe d'ortie au pied du mur était poudrée de fin plâtre frais. Cela probablement avait été écrit là dans la nuit. Qu'était-ce ? une adresse ? un signal pour d'autres ? un avertissement pour lui ?

Au milieu de ces préoccupations, il s'aperçut, à une ombre que le soleil projetait, que quelqu'un venait de s'arrêter sur la crête du talus immédiatement derrière lui. Il allait se retourner, lorsqu'un papier plié en quatre tomba sur ses genoux, comme si une main l'eût lâché au-dessus de sa tête. Il prit le papier, le déplia, et y lut ce mot écrit en grosses lettres au crayon :

DÉMÉNAGEZ.

Jean Valjean se leva vivement, il n'y avait plus personne sur le talus ; il chercha autour de lui et aperçut une espèce d'être plus grand qu'un enfant, plus petit qu'un homme, vêtu d'une blouse grise et d'un pantalon de velours de coton couleur poussière, qui enjambait le parapet et se laissait glisser dans le fossé du Champ de Mars.

Jean Valjean rentra chez lui sur-le-champ, tout pensif.

Marius était parti désolé de chez M. Gillenormand. Il y était rentré avec une espérance bien petite ; il en sortait avec un désespoir immense.

Toute la journée il rôda sans savoir où ; il pleuvait par instants, il ne s'en apercevait point ; il acheta pour son dîner une flûte d'un sou chez un boulanger, la mit dans sa poche et l'oublia.

À la nuit tombante, à neuf heures précises, comme il l'avait promis à Cosette, il était rue Plumet. Quand il approcha de la grille, il oublia tout. Il y avait quarante-huit heures qu'il n'avait vu Cosette, il allait la revoir ; toute autre pensée s'effaça et il n'eut plus qu'une joie inouïe et profonde.

Marius dérangea la grille et se précipita dans le jardin. Cosette n'était pas à la place où elle l'attendait d'ordinaire. Il traversa le fourré et alla à l'enfoncement près du perron. Cosette n'y était pas. Il leva les yeux, et vit que les volets de la maison étaient fermés. Il fit le tour du jardin, le jardin était désert. Alors il vint à la maison, il frappa aux volets. Il frappa et appela Cosette. On ne répondit pas. C'était fini. Personne dans le jardin ; personne dans la maison.

Tout à coup il entendit une voix qui paraissait venir de la rue et qui criait à travers les arbres :

— Monsieur Marius !

Il se dressa.

— Hein ? dit-il.

— Monsieur Marius, êtes-vous là ?

— Oui.

— Monsieur Marius, reprit la voix, vos amis vous attendent à la barricade de la rue de la Chanvrerie. Il y a une émeute à cause de l'enterrement du général Lamarque.

Cette voix ne lui était pas entièrement inconnue. Elle ressemblait à la voix enrouée et rude d'Éponine, Marius courut à la grille, écarta le barreau mobile, passa sa tête au travers et vit quelqu'un, qui lui parut être un jeune homme, s'enfoncer en courant dans le crépuscule.

11

L'enterrement du général Lamarque

Paris était dès longtemps prêt pour une commotion. Ainsi, la grande ville ressemble à une pièce de canon ; quand elle est chargée, il suffit d'une étincelle qui tombe, le coup part. En juin 1832, l'étincelle fut la mort du général Lamarque.

Lamarque était un homme de renommée et d'action. Il avait eu successivement, sous l'Empire et sous la Restauration, les deux bravoures nécessaires aux deux époques, la bravoure des champs de bataille et la bravoure de la tribune.

Le 5 juin, par une journée mêlée de pluie et de soleil, le convoi du général Lamarque traversa Paris avec la pompe militaire officielle, un peu accrue par les précautions. Deux bataillons, tambours drapés, fusils renversés, dix mille gardes nationaux, le sabre au côté, les batteries de l'artillerie de la garde nationale, escortaient le cercueil. Le corbillard était traîné par des jeunes gens. Les officiers des Invalides le suivaient immédiatement, portant des branches de laurier. Puis venait une multitude innombrable, agitée, étrange.

Le cortège chemina, avec une lenteur fébrile, de la maison mortuaire par les boulevards jusqu'à la Bastille. Il pleuvait de temps en temps.

Le corbillard dépassa la Bastille, suivit le canal, traversa le petit pont et atteignit l'esplanade du pont d'Austerlitz. Du boulevard Bourdon au pont d'Austerlitz une de ces clameurs qui ressemblent à des houles remua la multitude. Deux cris prodigieux s'élevèrent – *Lamarque au Panthéon !* *Lafayette*[165] *à l'hôtel de ville !* Des jeunes gens, aux acclamations de la foule, s'attelèrent et se mirent à traîner Lamarque dans le corbillard par le pont d'Austerlitz et Lafayette dans un fiacre par le quai Morland.

Cependant sur la rive gauche la cavalerie municipale s'ébranlait et venait barrer le pont, sur la rive droite les dragons[166] sortaient des Célestins et se déployaient le long du quai Morland. Le peuple les aperçut brusquement au coude du quai et cria : les dragons ! Les dragons s'avançaient au pas, en silence, pistolets dans les fontes, sabres aux fourreaux, mousquetons aux porte-crosse, avec un air d'attente sombre.

À deux cents pas du petit pont, ils firent halte. En ce moment les dragons et la foule se touchaient.

Que se passa-t-il dans cette minute fatale ? personne ne saurait le dire. C'est le moment ténébreux où deux nuées se mêlent. Les uns racontent qu'une fanfare sonnant la charge fut entendue, du côté de l'Arsenal, les autres qu'un coup de poignard fut donné par un enfant à un dragon. Le fait est que trois coups de feu partirent subitement, le premier

---

165. Général français (mort en 1834).
166. Soldats de cavalerie.

tua le chef d'escadron Cholet, le second tua une vieille sourde qui fermait sa fenêtre rue Contrescarpe, le troisième brûla l'épaulette d'un officier ; et tout à coup on vit du côté opposé au quai Morland un escadron de dragons qui était resté dans la caserne déboucher, au galop, le sabre nu, par la rue Bassompierre et le boulevard Bourdon, et balayer tout devant lui.

Alors tout est dit, la tempête se déchaîne, les pierres pleuvent, la fusillade éclate.

12

Gavroche en marche

À l'instant où l'insurrection, surgissant du choc du peuple et de la troupe, détermina un mouvement d'avant en arrière dans la multitude, un enfant déguenillé qui descendait par la rue Ménilmontant avisa dans la devanture de boutique d'une marchande de bric-à-brac un vieux pistolet d'arçon.

— Mère chose, je vous emprunte votre machin.

Et il se sauva avec le pistolet.

C'était le petit Gavroche qui s'en allait en guerre.

L'agitation d'un pistolet sans chien[167] qu'on tient à la main en pleine rue est une telle fonction publique que Gavroche sentait croître sa verve[168] à chaque pas.

Cependant Gavroche au marché Saint-Jean venait d'opérer sa jonction avec une bande conduite par Enjolras, Courfeyrac, Combeferre et Feuilly. Ils étaient à peu près armés. Bahorel et Jean Prouvaire les avaient retrouvés et grossissaient le groupe.

---

167. Pièce de l'arme à feu qui guide la balle.
168. Inspiration poétique.

La bande grossissait à chaque instant.

Il se trouva que, rue de la Verrerie, ils passèrent devant la porte de Courfeyrac.

— Cela se trouve bien, dit Courfeyrac, j'ai oublié ma bourse, et j'ai perdu mon chapeau.

Il quitta l'attroupement et monta chez lui quatre à quatre. Il prit un vieux chapeau et sa bourse. Il prit aussi un assez grand coffre carré de la dimension d'une grosse valise qui était caché dans son linge sale. Comme il redescendait en courant, une espèce de jeune ouvrier, maigre, blême, petit, marqué de taches de rousseur, vêtu d'une blouse trouée et d'un pantalon de velours à côtes rapiécé, et qui avait plutôt l'air d'une fille accoutrée en garçon que d'un homme, sortit de la loge et dit à Courfeyrac d'une voix qui, par exemple, n'était pas le moins du monde une voix de femme :

— Monsieur Marius, s'il vous plaît ?

— Il n'y est pas.

— Rentrera-t-il ce soir ?

— Je n'en sais rien.

Et il s'échappa en courant pour rejoindre ses amis. Quand il les eut rejoints, il donna le coffre à porter à l'un d'eux. Ce ne fut qu'un quart d'heure après qu'il s'aperçut que le jeune homme les avait suivis.

Un attroupement ne va pas précisément où il veut. Ils dépassèrent Saint-Merry et se trouvèrent, sans trop savoir comment, rue Saint-Denis.

13

Le cabaret « Corinthe »

Le passant qui s'engageait de la rue Saint-Denis dans la rue de la Chanvrerie la voyait peu à peu se rétrécir devant lui. Au bout de la rue, qui était fort courte, il trouvait le passage barré du côté des halles par une haute rangée de maisons, et il se fût cru dans un cul-de-sac, s'il n'eût aperçu à droite et à gauche deux tranchées noires par où il pouvait s'échapper. C'était la rue Mondétour. Au fond de cette espèce de cul-de-sac, on remarquait une maison moins élevée que les autres et formant une sorte de cap sur la rue. C'est dans cette maison, de deux étages seulement, qu'était installé depuis trois cents ans un cabaret illustre : *au raisin de Corinthe.* De là ce nom, *Corinthe*.

Une salle en bas où était le comptoir, une salle au premier où était le billard. Un escalier à trappe dans la salle d'en bas conduisait à la cave. Au second était le logis de la gargotière[169] Hucheloup. La cuisine partageait le rez-de-chaussée avec la salle du comptoir.

169. Aubergiste.

Corinthe était un des lieux de réunion, sinon de rallie-ment, de Courfeyrac et de ses amis.

Le matin du 5 juin, Laigle et son ami Joly poussèrent la porte de Corinthe. Il était environ neuf heures.

Comme ils étaient aux premières huîtres, une tête appa-rut à l'écoutille de l'escalier, et une voix dit :

— Je passais. J'ai senti, de la rue, une délicieuse odeur de fromage de Brie. J'entre.

C'était Grantaire.

Grantaire prit un tabouret et s'attabla.

Tout à coup, ils entendirent derrière eux un tumulte, des pas précipités, des cris *aux armes !* Ils se retournè-rent et aperçurent, rue Saint-Denis au bout de la rue de la Chanvrerie, Enjolras qui passait, la carabine à la main, et Gavroche avec son pistolet, Feuilly avec son sabre, Cour-feyrac avec son épée, Jean Prouvaire avec son mousqueton, Combeferre avec son fusil, Bahorel avec son fusil, et tout le rassemblement armé et orageux qui les suivait.

La rue de la Chanvrerie n'était guère longue que d'une portée de carabine. Laigle improvisa avec ses deux mains un porte-voix autour de sa bouche, et cria :

— Courfeyrac ! Courfeyrac ! hohée !

Courfeyrac entendit l'appel, aperçut Laigle, et fit quel-ques pas dans la rue de la Chanvrerie, en criant un : que veux-tu ? qui se croisa avec un : où vas-tu ?

— Faire une barricade, répondit Courfeyrac.

— Eh bien, ici ! la place est bonne ! fais-la ici !

Sur un signe de Courfeyrac, l'attroupement se précipita rue de la Chanvrerie.

La place était en effet admirablement indiquée.

À l'irruption du rassemblement, l'épouvante avait pris toute la rue. Pas un passant qui ne se fût éclipsé. Cependant, en quelques minutes, vingt barres de fer avaient été arrachées de la devanture grillée du cabaret, dix toises de rue avaient été dépavées. Quand Laigle et Courfeyrac se retournèrent, la moitié de la rue était déjà barrée d'un rempart plus haut qu'un homme. Rien n'est tel que la main populaire pour bâtir tout ce qui se bâtit en démolissant.

Un omnibus[170] qui avait deux chevaux blancs passa au bout de la rue.

Laigle enjamba les pavés, courut, arrêta le cocher, fit descendre les voyageurs, donna la main « aux dames », congédia le conducteur, et revint ramenant voiture et chevaux par la bride.

Un instant après, les chevaux dételés s'en allaient au hasard par la rue Mondétour et l'omnibus couché sur le flanc complétait le barrage de la rue.

La pluie avait cessé. Des recrues étaient arrivées.

Enjolras, Combeferre et Courfeyrac dirigeaient tout. Maintenant deux barricades se construisaient en même temps, toutes deux appuyées à la maison de Corinthe et faisant équerre ; la plus grande fermait la rue de la Chanvrerie, l'autre fermait la rue Mondétour du côté de la rue du Cygne. Cette dernière barricade, très étroite, n'était construite que de tonneaux et de pavés. Ils étaient là environ cinquante travailleurs ; une trentaine armés de fusils ; car, chemin faisant, ils avaient fait un emprunt en bloc à une boutique d'armurier.

La barricade de la rue de la Chanvrerie ne dépassait pas une hauteur moyenne de six ou sept pieds. Elle était bâtie de manière que les combattants pouvaient à volonté, ou disparaître derrière, ou dominer le barrage et même en escalader la crête au moyen d'une quadruple rangée de

---

170. Voiture qui assure le transport public dans une ville.

pavés superposés et arrangés en gradins à l'intérieur. La flèche de l'omnibus était dressée droite et maintenue avec des cordes, et un drapeau rouge, fixé à cette flèche, flottait sur la barricade...

La petite barricade Mondétour, cachée derrière la maison du cabaret, ne s'apercevait pas. Les deux barricades réunies formaient une véritable redoute[171].

Les deux barricades terminées, le drapeau arboré, on traîna une table hors du cabaret, et Courfeyrac monta sur la table. Enjolras apporta le coffre carré et Courfeyrac l'ouvrit. Ce coffre était rempli de cartouches. Quand on vit les cartouches, il y eut un tressaillement parmi les plus braves et un moment de silence.

Chacun reçut trente cartouches. Beaucoup avaient de la poudre et se mirent à en faire d'autres avec les balles qu'on fondait.

Un homme arrivant de la rue des Billettes venait d'entrer dans la salle basse et était allé s'asseoir à la table la moins éclairée. Il lui était échu un fusil de munition grand modèle, qu'il tenait entre ses jambes.

Lorsqu'il entra, Gavroche le suivit machinalement des yeux, admirant son fusil, puis, brusquement, quand l'homme fut assis, le gamin se leva. Le gamin s'approcha de ce personnage pensif et se mit à tourner autour de lui sur la pointe du pied comme on marche auprès de quelqu'un qu'on craint de réveiller. Il était évident qu'il arrivait un événement à Gavroche.

C'est au plus fort de cette préoccupation qu'Enjolras l'aborda.

---

171. Fortification.

— Tu es petit, dit Enjolras, on ne te verra pas. Sors des barricades, glisse-toi le long des maisons, va un peu partout par les rues, et reviens me dire ce qui se passe.

Gavroche se haussa sur les hanches.

— Les petits sont donc bons à quelque chose ! C'est bien heureux ! J'y vais. En attendant fiez-vous aux petits, méfiez-vous des grands...

Et Gavroche, levant la tête en baissant la voix, ajouta, en désignant l'homme de la rue des Billettes :

— Vous voyez bien ce grand-là ?

— Eh bien ?

— C'est un mouchard[172].

Enjolras quitta vivement le gamin et murmura quelques mots très bas à un ouvrier du port aux vins qui se trouvait là. L'ouvrier sortit de la salle et y rentra presque tout de suite accompagné de trois autres.

Alors Enjolras s'approcha de l'homme et lui demanda :

— Qui êtes-vous ?

À cette question brusque, l'homme eut un soubresaut. Il plongea son regard jusqu'au fond de la prunelle candide d'Enjolras et parut y saisir sa pensée. Il sourit d'un sourire qui était tout ce qu'on peut voir au monde de plus dédaigneux, de plus énergique et de plus résolu, et répondit avec une gravité hautaine :

— Je vois ce que c'est... Eh bien, oui !

— Vous êtes mouchard ?

— Je suis agent de l'autorité.

— Vous vous appelez ?

— Javert.

---

172. Dénonciateur.

Enjolras fit signe aux quatre hommes. En un clin d'œil, avant que Javert eût eu le temps de se retourner, il fut colleté, terrassé, garrotté, fouillé.

Le fouillage terminé, on redressa Javert, on lui noua les bras derrière le dos et on l'attacha au milieu de la salle basse.

Gavroche, qui avait assisté à toute la scène et tout approuvé d'un hochement de tête silencieux, s'approcha de Javert et lui dit :

— C'est la souris qui a pris le chat.

— Toi ! va à ton affaire ! Fais ce que je t'ai dit, dit Enjolras.

— J'y vas, cria Gavroche.

Et s'arrêtant au moment de partir :

— À propos, vous me donnerez son fusil !

14

Marius sur la barricade

Cette voix qui à travers le crépuscule avait appelé Marius à la barricade de la rue de la Chanvrerie lui avait fait l'effet de la voix de la destinée. Il voulait mourir, l'occasion s'offrait. Marius écarta la grille qui l'avait tant de fois laissé passer, sortit du jardin, et dit : allons !

Fou de douleur, il se mit à marcher rapidement. Il se trouvait précisément qu'il était armé, ayant sur lui les pistolets de Javert.

Le jeune homme qu'il avait cru apercevoir s'était perdu à ses yeux dans les rues.

Marius, qui était sorti de la rue Plumet par le boulevard, traversa l'Esplanade et le pont des Invalides, les Champs-Élysées, gagna la rue de Rivoli.

Là, il continua d'avancer. Comme il abordait une rue qui lui faisait l'effet d'être la rue du Contrat-Social, un coup de fusil siffla tout près de lui, et la balle perça au-dessus de sa tête un plat à barbe de cuivre suspendu à la boutique d'un coiffeur.

Marius était arrivé aux Halles.

Un peu au-delà de l'angle noir de la ruelle Mondétour et de la rue de la Chanvrerie, il aperçut quelque lueur sur les pavés, un peu du cabaret et, derrière, un lampion clignotant dans une espèce de muraille informe, et des hommes accroupis ayant des fusils sur leurs genoux. Tout cela était à dix toises de lui. C'était l'intérieur de la barricade.

Les maisons qui bordaient la ruelle à droite lui cachaient le reste du cabaret, la grande barricade et le drapeau.

Alors le malheureux jeune homme s'assit sur une borne, croisa les bras, et songea à son père et à Cosette.

Subitement, au milieu de ce calme lugubre, une voix claire, jeune, gaie, qui semblait venir de la rue Saint-Denis, s'éleva et se mit à chanter sur le vieil air populaire *Au clair de la lune* :

> *Mon nez est en larmes.*
> *Mon ami Bugeaud,*
> *Prête-moi tes gendarmes*
> *Pour leur dire un mot.*
>
> *En capote bleue.*
> *La poule au shako*[173],
> *Voici la banlieue !*
> *Co-cocorico !*

— C'est Gavroche, dit Enjolras.

— Il nous avertit, dit Combeferre.

Une course précipitée troubla la rue déserte, on vit un être plus agile qu'un clown grimper par-dessus l'omnibus

_____

173. Coiffe militaire.

et Gavroche bondit dans la barricade tout essoufflé, en disant :

— Mon fusil ! Les voici.

Et il se saisit du fusil de Javert.

Chacun prit son poste de combat.

Quarante-trois insurgés, parmi lesquels, Enjolras, Combeferre, Courfeyrac, Laigle, Joly et Gavroche, étaient agenouillés dans la grande barricade, les têtes à fleur de la crête du barrage, les canons des fusils et des carabines braqués sur les pavés comme à des meurtrières[174], attentifs, muets, prêts à faire feu. Six, commandés par Feuilly, s'étaient installés, le fusil en joue, aux fenêtres des deux étages de Corinthe.

Un éclair empourpra toutes les façades de la rue comme si la porte d'une fournaise s'ouvrait et se fermait brusquement. Une effroyable détonation éclata sur la barricade. Des balles qui avaient ricoché sur les corniches des maisons pénétrèrent dans la barricade et blessèrent plusieurs hommes.

L'attaque était rude et de nature à faire songer les plus hardis. Il était évident qu'on avait au moins affaire à un régiment tout entier.

— Camarades, cria Courfeyrac, ne perdons pas la poudre. Attendons pour riposter qu'ils soient engagés dans la rue.

On entendait au-dehors le choc des baguettes dans les fusils ; la troupe rechargeait les armes.

Pendant ce temps-là, le petit Gavroche était resté en observation. Tout à coup il cria :

— Méfiez-vous !

---

174. Minces ouvertures dans une muraille.

On apercevait une étincelante épaisseur de bayonnettes ondulant au-dessus de la barricade. Des gardes municipaux de haute taille pénétraient, les uns en enjambant l'omnibus, les autres par la coupure, poussant devant eux le gamin qui reculait, mais ne fuyait pas.

Le plus grand de tous, une espèce de colosse, marchait sur Gavroche la bayonnette en avant. Le gamin prit dans ses petits bras l'énorme fusil de Javert, coucha résolument en joue le géant, et lâcha son coup. Rien ne partit. Javert n'avait pas chargé son fusil. Le garde municipal éclata de rire et leva la bayonnette sur l'enfant.

Avant que la bayonnette eût touché Gavroche, le fusil échappait des mains du soldat, une balle avait frappé le garde municipal au milieu du front et il tombait sur le dos.

C'était Marius qui venait d'entrer dans la barricade.

15

La mort d'Éponine

Marius n'avait plus d'armes, il avait jeté ses pistolets déchargés, mais il avait aperçu le baril de poudre dans la salle basse près de la porte.

Comme il se tournait à demi, regardant de ce côté, un soldat le coucha en joue. Au moment où le soldat ajustait Marius, une main se posa sur le bout du canon du fusil, et le boucha. C'était quelqu'un qui s'était élancé, le jeune ouvrier au pantalon de velours. Le coup partit, traversa la main, et peut-être aussi l'ouvrier, car il tomba, mais la balle n'atteignit pas Marius. Tout cela dans la fumée, plutôt entrevu que vu.

Les insurgés, surpris, mais non effrayés, s'étaient ralliés. Enjolras avait crié : Attendez ! ne tirez pas au hasard ! La plupart étaient montés à la fenêtre du premier étage et aux mansardes d'où ils dominaient les assaillants.

Tout à coup, on entendit une voix tonnante qui criait :
— Allez-vous-en, ou je fais sauter la barricade !
Tous se retournèrent du côté d'où venait la voix.

Marius était entré dans la salle basse, et y avait pris le baril de poudre, puis il avait profité de la fumée et de l'espèce de brouillard obscur qui emplissait l'enceinte retranchée, pour se glisser le long de la barricade jusqu'à cette cage de pavés où était fixée la torche ; et maintenant tous, gardes nationaux, gardes municipaux, officiers, soldats, pelotonnés à l'autre extrémité de la barricade, le regardaient avec stupeur le pied sur les pavés, la torche à la main, son fier visage éclairé par une résolution fatale, et poussant ce cri terrifiant :

— Allez-vous-en, ou je fais sauter la barricade.

— Sauter la barricade ! dit un sergent, et toi aussi !

Marius répondit :

— Et moi aussi.

Et il approcha la torche du baril de poudre.

Mais il n'y avait déjà plus personne sur le barrage. Les assaillants, laissant leurs morts et leurs blessés, refluaient pêle-mêle et en désordre vers l'extrémité de la rue et s'y perdaient de nouveau dans la nuit.

La barricade était dégagée.

Tous entourèrent Marius. Courfeyrac lui sauta au cou.

— Te voilà !

Marius demanda :

— Où est le chef ?

— C'est toi, dit Enjolras.

Marius avait eu toute la journée une fournaise dans le cerveau, maintenant c'était un tourbillon. Ses deux lumineux mois de joie et d'amour aboutissant brusquement à cet effroyable précipice, Cosette perdue pour lui, cette barricade, élevée pour la République, lui-même chef d'insurgés, toutes ces choses lui paraissaient un cauchemar monstrueux.

Maintenant la ruelle Mondétour et les embranchements de la Petite-Truanderie et du Cygne étaient profondément calmes.

Comme Marius en faisait l'inspection, il entendit son nom prononcé faiblement dans l'obscurité :

— Monsieur Marius !

Il tressaillit, car il reconnut la voix qui l'avait appelé deux heures auparavant à travers la grille de la rue Plumet. Seulement cette voix maintenant semblait n'être plus qu'un souffle.

— Monsieur Marius ! répéta la voix. À vos pieds.

Il se courba et vit dans l'ombre une forme qui se traînait vers lui.

Le lampion permettait de distinguer une blouse, un pantalon de gros velours déchiré, des pieds nus, et quelque chose qui ressemblait à une mare de sang. Marius entrevit une tête pâle qui se dressait vers lui et qui lui dit :

— Vous ne me reconnaissez pas, Éponine ?

Marius se baissa vivement. C'était en effet cette malheureuse enfant. Elle était habillée en homme.

— Je meurs, lui dit-elle.

Marius s'écria comme en sursaut :

— Vous êtes blessée ! Attendez, je vais vous porter dans la salle. On va vous panser. Est-ce grave ? Comment faut-il vous prendre pour ne pas vous faire de mal ? Mais qu'êtes-vous venue faire ici ?

Et il essaya de passer son bras sous elle pour la soulever.

Elle leva sa main vers le regard de Marius, et Marius au milieu de cette main vit un trou noir.

— Qu'avez-vous donc à la main ? dit-il.

— Elle est percée d'une balle.

— Comment ?

— Avez-vous vu un fusil qui vous couchait en joue ?

— Oui, et une main qui l'a bouché.

— C'était la mienne.

Marius eut un frémissement.

— Quelle folie ! Pauvre enfant ! Mais tant mieux, si c'est cela, ce n'est rien. Laissez-moi vous porter sur un lit. On va vous panser, on ne meurt pas d'une main percée.

Elle murmura :

— La balle a traversé la main, mais elle est sortie par le dos. C'est inutile de m'ôter d'ici. Asseyez-vous près de moi sur cette pierre.

Il obéit ; elle posa sa tête sur les genoux de Marius, et, sans le regarder, elle dit :

— Savez-vous cela, monsieur Marius ? Cela me taquinait que vous entriez dans ce jardin, c'était bête, puisque c'était moi qui vous avais montré la maison, et puis enfin je devais bien me dire qu'un jeune homme comme vous...

Elle avait un air grave et navrant. Sa blouse déchirée montrait sa gorge nue. Elle appuyait en parlant sa main percée sur sa poitrine où il y avait un autre trou, et d'où il sortait par instants un flot de sang comme le jet de vin d'une bonde ouverte.

Marius considérait cette créature infortunée avec une profonde compassion.

Marius fit un mouvement.

— Oh ! ne vous en allez pas ! dit-elle, cela ne sera pas long à présent !

Sa voix était très basse et coupée de hoquets. Par intervalles le râle l'interrompait. Elle approchait le plus qu'elle pouvait son visage de Marius. Elle ajouta avec une expression étrange :

— Écoutez. J'ai dans ma poche une lettre pour vous. Depuis hier. On m'avait dit de la mettre à la poste. Je l'ai gardée. Je ne voulais pas qu'elle vous parvînt. Prenez votre lettre.

Marius prit la lettre. Elle fit un signe de satisfaction.

— Maintenant pour ma peine, promettez-moi... Promettez-moi de me donner un baiser sur le front quand je serai morte. Je le sentirai.

Elle essaya de sourire et expira.

Marius tint sa promesse. Il déposa un baiser sur ce front livide où perlait une sueur glacée : c'était un adieu pensif et doux à une malheureuse âme.

L'infortunée enfant avait à peine fermé les yeux que Marius songeait à déplier ce papier. Il la reposa doucement sur la terre et s'en alla. Quelque chose lui disait qu'il ne pouvait lire cette lettre devant ce cadavre.

Il s'approcha d'une chandelle dans la salle basse, défit le cachet et lut :

Mon bien-aimé, hélas ! mon père veut que nous partions tout de suite. Nous serons ce soir rue de l'Homme-Armé n° 7. Dans huit jours nous serons en Angleterre. COSETTE. 4 juin.

Ce qui s'était passé peut être dit en quelques mots. Éponine, après la soirée du 3 juin, avait eu une pensée, séparer Marius de Cosette. Elle avait changé de guenilles avec le premier jeune drôle[175] venu qui avait trouvé amusant de s'habiller en femme pendant qu'Éponine se déguisait en homme. C'était elle qui au Champ de Mars avait donné à Jean Valjean l'avertissement expressif : *Déménagez*. Jean Valjean était rentré en effet et avait dit à Cosette : *Nous partons ce soir et nous allons rue de l'Homme-Armé avec*

---

175. Jeune homme.

Toussaint. La semaine prochaine nous serons à Londres.
Cosette, atterrée, avait écrit en hâte deux lignes à Marius.
Dans cette anxiété, Cosette avait aperçu à travers la grille
Éponine en habits d'homme, qui rôdait sans cesse autour
du jardin. Cosette avait appelé « ce jeune ouvrier » et lui
avait remis cinq francs et la lettre, en lui disant : Portez
cette lettre tout de suite à son adresse. Éponine avait mis
la lettre dans sa poche, le lendemain 5 juin, elle était allée
chez Courfeyrac demander Marius, non pour lui remettre la lettre, mais, chose que toute âme jalouse et aimante
comprendra, « pour voir ». Elle avait suivi Courfeyrac,
s'était assurée de l'endroit où l'on construisait la barricade ;
et sûre que Marius serait à la nuit tombante au rendez-vous
de tous les soirs elle était allée rue Plumet, y avait attendu
Marius, et lui avait envoyé, au nom de ses amis, cet appel
qui devait, pensait-elle, l'amener à la barricade. Elle comptait sur le désespoir de Marius quand il ne trouverait pas
Cosette ; elle ne se trompait pas. Elle était retournée de son
côté rue de la Chanvrerie. On vient de voir ce qu'elle y
avait fait. Elle était morte avec cette joie tragique des cœurs
jaloux qui entraînent l'être aimé dans leur mort.

Marius couvrit de baisers la lettre de Cosette. Elle
l'aimait donc !

Il arracha une feuille de son carnet et écrivit au crayon
ces quelques lignes :

« Notre mariage était impossible. J'ai demandé à mon
grand-père, il a refusé ; je suis sans fortune, et toi aussi. J'ai
couru chez toi, je ne t'ai plus trouvée, tu sais la parole que
je t'avais donnée, je la tiens. Je meurs. Je t'aime. Quand tu
liras ceci, mon âme sera près de toi, et te sourira. »

N'ayant rien pour cacheter cette lettre, il se borna à plier
le papier en quatre et y mit cette adresse :

À mademoiselle Cosette Fauchelevent, chez M. Fauchelevent, rue de l'Homme-Armé, n° 7.

La lettre pliée, il demeura un moment pensif, puis reprit son carnet, l'ouvrit et écrivit sur la première page ces quatre lignes :

« Je m'appelle Marius Pontmercy. Porter mon cadavre chez mon grand-père, M. Gillenormand, rue des Filles-du-Calvaire, n° 6, au Marais. »

Alors il appela Gavroche. Le gamin, à la voix de Marius, accourut avec sa mine joyeuse et dévouée.

— Veux-tu faire quelque chose pour moi ?

— Tout, dit Gavroche. Sans vous, vrai, j'étais cuit.

— Tu vois bien cette lettre ? Prends-la. Sors de la barricade sur-le-champ, et tu la remettras à son adresse, à Mlle Cosette, chez M. Fauchelevent, rue de l'Homme-Armé, n° 7.

L'héroïque enfant répondit :

— Ah ! bien, mais ! pendant ce temps-là on prendra la barricade, et je n'y serai pas. Si j'allais porter votre lettre demain matin ?

— Il sera trop tard. La barricade sera probablement bloquée, toutes les rues seront gardées et tu ne pourras sortir. Va tout de suite.

Gavroche, avec un de ces mouvements d'oiseau qu'il avait, prit la lettre, et il partit en courant par la ruelle Mondétour.

16

Gavroche messager

La veille de ce même jour, 5 juin, Jean Valjean, accompagné de Cosette et de Toussaint, s'était installé rue de l'Homme-Armé. Une péripétie[176] l'y attendait.

Tous deux étaient arrivés rue de l'Homme-Armé sans desserrer les dents, absorbés chacun dans leur préoccupation personnelle ; Jean Valjean si inquiet qu'il ne voyait pas la tristesse de Cosette, Cosette si triste qu'elle ne voyait pas l'inquiétude de Jean Valjean.

Le lendemain, Cosette, prétextant une migraine persistante, avait dit bonsoir à Jean Valjean et s'était enfermée dans sa chambre à coucher. Jean Valjean avait mangé une aile de poulet avec appétit.

Pendant qu'il faisait ce sobre dîner, il avait perçu confusément le bégayement de Toussaint qui lui disait : – Monsieur, on se bat dans Paris. Mais, absorbé dans une foule de combinaisons intérieures, il n'y avait point pris garde.

---

176. Nouvelle aventure, rebondissement.

Il se leva, et se mit à marcher de la fenêtre à la porte et de la porte à la fenêtre. Tout en marchant de long en large à pas lents, il aperçut en face de lui, dans le miroir incliné qui surmontait le buffet, les quatre lignes que voici :

« Mon bien-aimé, hélas ! mon père veut que nous partions tout de suite. Nous serons ce soir rue de l'Homme-Armé, n° 7. Dans huit jours nous serons à Londres. Cosette. 4 juin. »

Jean Valjean s'arrêta hagard.

Cosette en arrivant avait posé son buvard sur le buffet devant le miroir, et, toute à sa douloureuse angoisse, l'avait oublié là, sans même remarquer qu'elle le laissait tout ouvert. L'écriture s'était imprimée sur le buvard.

Le miroir reflétait l'écriture. C'était simple et foudroyant.

Jean Valjean chancela, laissa échapper le buvard, et s'affaissa dans le vieux fauteuil à côté du buffet, la tête tombante.

Son instinct n'hésita point. Il rapprocha certaines circonstances, certaines dates, certaines rougeurs et certaines pâleurs de Cosette, et il se dit : C'est lui. Il ne savait pas le nom, mais il trouva tout de suite l'homme : le rôdeur inconnu du Luxembourg.

Tandis qu'il songeait, Toussaint entra. Jean Valjean se leva, et lui demanda :

— Ne m'avez-vous pas dit tout à l'heure qu'on se bat ?

— Ah ! oui, monsieur, répondit Toussaint. C'est du côté de Saint-Merry.

Cinq minutes après, Jean Valjean se trouva dans la rue.

Il était nu-tête, assis sur la borne de la porte de sa maison. Il semblait écouter. La nuit était venue.

Tout à coup il leva les yeux, on marchait dans la rue, il entendait des pas près de lui, il regarda, et, à la lueur du réverbère, il aperçut une figure livide, jeune et radieuse.

Gavroche venait d'arriver rue de l'Homme-Armé.

Jean Valjean se sentit irrésistiblement poussé à adresser la parole à cet enfant.

— Petit, dit-il, qu'est-ce que tu as ?

— J'ai que j'ai faim, répondit Gavroche nettement. Et il ajouta : Petit vous-même.

Jean Valjean fouilla dans son gousset et en tira une pièce de cinq francs.

Gavroche mit la pièce de cinq francs dans une de ses poches.

— Êtes-vous de la rue ? Pourriez-vous m'indiquer le numéro 7 ?

Une idée traversa l'esprit de Jean Valjean. L'angoisse a de ces lucidités-là. Il dit à l'enfant :

— Est-ce que c'est toi qui m'apportes la lettre que j'attends ?

— Vous ? dit Gavroche. Vous n'êtes pas une femme.

— La lettre est pour Mlle Cosette, n'est-ce pas ?

— Cosette ? grommela Gavroche. Oui, je crois que c'est ce drôle de nom-là.

— Eh bien, reprit Jean Valjean, c'est moi qui dois lui remettre la lettre. Donne.

— En ce cas, vous devez savoir que je suis envoyé de la barricade ?

— Sans doute, dit Jean Valjean.

Gavroche engloutit son poing dans une autre de ses poches et en tira un papier plié en quatre.

Puis il fit le salut militaire.

— Respect à la dépêche[177], dit-il. Elle vient du gouvernement provisoire.

— Donne, dit Jean Valjean.

Il remit le papier à Jean Valjean qui reprit :

— Est-ce à Saint-Merry qu'il faudra porter la réponse ?

— Vous feriez là, s'écria Gavroche, une de ces pâtis-
series vulgairement nommées brioches. Cette lettre vient
de la barricade de la rue de la Chanvrerie, et j'y retourne.
Bonsoir, citoyen.

Jean Valjean rentra avec la lettre de Marius.

Il monta l'escalier à tâtons. Sa chandelle allumée, il s'accouda sur la table, déplia le papier, et lut. Sa main tremblait, il y avait du vol dans ce qu'il venait de faire.

Dans le billet de Marius à Cosette, Jean Valjean ne vit
que ces mots :

« ... Je meurs. Quand tu liras ceci, mon âme sera près de
toi. »

Puis il descendit et réveilla le portier.

Environ une heure après, Jean Valjean sortait en habit
complet de garde national et en armes. Le portier lui avait
aisément trouvé dans le voisinage de quoi compléter son
équipement. Il avait un fusil chargé et une giberne[178] pleine
de cartouches. Il se dirigea du côté des Halles.

---

177. Lettre, message.
178. Sac.

Cinquième partie

Jean Valjean

1

Jean Valjean rejoint les insurgés

La barricade de la rue de la Chanvrerie était redoutable.
Les insurgés, sous l'œil d'Enjolras, avaient mis la nuit à
profit. La barricade avait été non seulement réparée, mais
augmentée. On l'avait exhaussée de deux pieds. La redoute
avait été savamment refaite en muraille au-dedans et en
broussaille au-dehors.

On avait désencombré la salle basse, pris la cuisine pour
ambulance, achevé le pansement des blessés, recueilli la
poudre éparse à terre et sur les tables, fondu des balles,
fabriqué des cartouches, épluché de la charpie, distribué les armes tombées, nettoyé l'intérieur de la redoute,
ramassé les débris, emporté les cadavres. Il y avait parmi les
morts quatre gardes nationaux. Enjolras fit mettre de côté
leurs uniformes.

Enjolras était allé faire une reconnaissance. Il était
sorti par la ruelle Mondétour en serpentant le long des
maisons.

Les insurgés étaient pleins d'espoir. La façon dont ils avaient repoussé l'attaque de la nuit leur faisait presque dédaigner d'avance l'attaque du point du jour. Ils l'attendaient et en souriaient.

Enjolras reparut. Il revenait de sa sombre promenade d'aigle dans l'obscurité extérieure. Dans la blancheur grandissante du matin, il dit :

— Toute l'armée de Paris donne. Un tiers de cette armée pèse sur la barricade où vous êtes. Vous serez attaqués dans une heure. Quant au peuple, il a bouillonné hier, mais ce matin il ne bouge pas. Rien à attendre, rien à espérer. Vous êtes abandonnés.

Il y eut un moment d'inexprimable silence où l'on eût entendu voler la mort.

Ce moment fut court.

Une acclamation enthousiaste s'éleva.

— Vive la mort ! Restons ici tous !

— Pourquoi tous ? dit Enjolras. La position est bonne, la barricade est belle. Trente hommes suffisent. Pourquoi en sacrifier quarante ? La république n'est pas assez riche en hommes pour faire des dépenses inutiles. Si, pour quelques-uns, le devoir est de s'en aller, ce devoir-là doit être fait comme un autre.

— S'en aller, c'est facile à dire, observa une voix dans un groupe. La barricade est cernée.

Enjolras toucha l'épaule de Combeferre, et tous deux entrèrent dans la salle basse.

Ils ressortirent un moment après, Enjolras tenait dans ses deux mains étendues les quatre uniformes qu'il avait fait réserver. Combeferre le suivait portant les shakos.

— Avec cet uniforme, dit Enjolras, on se mêle aux rangs et l'on s'échappe. Voici toujours pour quatre.

Et il jeta sur le sol dépavé les quatre uniformes.

Tous baissèrent la tête d'un air sombre.

Marius, à jeun, fiévreux, sortit enfin de sa torpeur. Il éleva la voix :

— Enjolras et Combeferre ont raison, dit-il ; pas de sacrifice inutile. Je me joins à eux, et il faut se hâter. Il y en a parmi vous qui ont des familles, des mères, des sœurs, des femmes, des enfants. Que ceux-là sortent des rangs, je vous en prie.

Alors, ébranlés par l'ordre d'Enjolras, émus par la prière de Marius, on obéit. Au bout de quelques minutes, cinq étaient unanimement désignés et sortaient des rangs. Il n'y avait que quatre uniformes.

— Eh bien, reprirent les cinq, il faut qu'un reste.

En cet instant, un cinquième uniforme tomba, comme du ciel, sur les quatre autres. Le cinquième homme était sauvé.

Marius leva les yeux et reconnut M. Fauchelevent.

Jean Valjean venait d'entrer dans la barricade. Grâce à son habit de garde national, il avait passé aisément.

— Quel est cet homme ? demanda Laigle.

— C'est, répondit Combeferre, un homme qui sauve les autres.

Marius ajouta d'une voix grave :

— Je le connais.

Enjolras se tourna vers Jean Valjean.

— Citoyen, soyez le bienvenu. Vous savez qu'on va mourir.

Jean Valjean, sans répondre, aida l'insurgé qu'il sauvait à revêtir son uniforme.

2

Un fameux fusil

Les cinq hommes désignés sortirent de la barricade par la ruelle Mondétour ; ils ressemblaient parfaitement à des gardes nationaux.

Quand ils furent partis, Enjolras pensa au condamné à mort. Il entra dans la salle basse. Javert, lié au pilier, songeait.

— Te faut-il quelque chose ? lui demanda Enjolras.

Javert répondit :

— Quand me tuerez-vous ?

— Attends. Nous avons besoin de toutes nos cartouches en ce moment.

— Alors, donnez-moi à boire, dit Javert.

Enjolras lui présenta lui-même un verre d'eau, et, comme Javert était garrotté, il l'aida à boire.

— Est-ce là tout ? reprit Enjolras.

— Je suis mal à ce poteau, répondit Javert. Vous n'êtes pas tendre de m'avoir laissé passer la nuit là. Liez-moi comme il vous plaira, mais vous pouvez bien me coucher sur une table.

Pendant qu'on garrottait Javert, un homme, sur le seuil de la porte, le considérait avec une attention singulière. L'ombre que faisait cet homme fit tourner la tête à Javert. Il leva les yeux et reconnut Jean Valjean. Il ne tressaillit même pas, abaissa fièrement la paupière, et se borna à dire : C'est tout simple.

Le jour croissait rapidement. Mais pas une fenêtre ne s'ouvrait, pas une porte ne s'entrebâillait.

On ne voyait rien, mais on entendait. Il se faisait à une certaine distance un mouvement mystérieux.

Une pièce de canon apparut. Les artilleurs poussaient la pièce. On voyait fumer la mèche allumée.

Le coup partit, la détonation éclata.

— Présent ! cria une voix joyeuse.

Et en même temps que le boulet sur la barricade, Gavroche s'abattit dedans. Il arrivait du côté de la rue du Cygne.

Gavroche fit plus d'effet dans la barricade que le boulet.

Le boulet s'était perdu dans le fouillis des décombres. Il avait tout au plus brisé une roue de l'omnibus, et achevé la vieille charrette.

On entoura Gavroche. Marius le prit à part.

— Qu'est-ce que tu viens faire ici ? As-tu au moins remis ma lettre à son adresse ?

Gavroche n'était point sans quelque remords à l'endroit de cette lettre. Dans sa hâte de revenir à la barricade, il s'en était défait plutôt qu'il ne l'avait remise. Il mentit abominablement.

— Citoyen, j'ai remis la lettre au portier. La dame dormait. Elle aura la lettre en se réveillant.

Marius, en envoyant cette lettre, avait deux buts, dire adieu à Cosette et sauver Gavroche. Il dut se contenter de la moitié de ce qu'il voulait.

Cependant Gavroche était déjà à l'autre bout de la barricade criant : Mon fusil !

Courfeyrac le lui fit rendre.

Gavroche prévint « les camarades », comme il les appelait, que la barricade était bloquée. Il avait eu grand-peine à arriver. Un bataillon de ligne, dont les faisceaux[179] étaient dans la Petite-Truanderie, observait le côté de la rue du Cygne ; du côté opposé, la garde municipale occupait la rue des Prêcheurs. En face, on avait le gros de l'armée.

Le feu des assaillants continuait. La mousqueterie et la mitraille alternaient, sans grand ravage à la vérité. Du reste ceci est une tactique de l'attaque des barricades ; tirailler longtemps, afin d'épuiser les munitions des insurgés, s'ils font la faute de répliquer.

Les insurgés aperçurent subitement un casque qui brillait au soleil sur un toit voisin. Un pompier était adossé à une haute cheminée et semblait là en sentinelle. Son regard plongeait à pic dans la barricade.

— Voilà un surveillant gênant, dit Enjolras.

Jean Valjean, sans dire un mot, ajusta avec son fusil le pompier, et, une seconde après, le casque, frappé d'une balle, tombait bruyamment dans la rue. Le soldat effaré se hâta de disparaître.

Un deuxième observateur prit sa place. Celui-ci était un officier. Jean Valjean, qui avait rechargé son fusil, ajusta le nouveau venu, et envoya le casque de l'officier rejoindre le casque du soldat. L'officier n'insista pas, et se retira très

---

179. Pyramides de fusils.

vite. Cette fois l'avis fut compris. Personne ne reparut sur le toit ; et l'on renonça à espionner la barricade.

— Pourquoi n'avez-vous pas tué l'homme ? demanda Enjolras à Jean Valjean.

Jean Valjean ne répondit pas.

3

Le sacrifice de Gavroche

Un nouveau personnage venait d'entrer en scène. C'était une deuxième bouche à feu[180], une pièce de huit.

La pièce qui tirait à boulet était pointée un peu haut et le tir avait pour but d'écarter les combattants du sommet de la redoute, et de les contraindre à se pelotonner dans l'intérieur, c'est-à-dire que cela annonçait l'assaut.

Une fois les combattants chassés du haut de la barricade par le boulet et des fenêtres du cabaret par la mitraille, les colonnes d'attaque pourraient s'aventurer dans la rue sans être visées.

— Il faut absolument diminuer l'incommodité de ces pièces, dit Enjolras, et il cria : Feu sur les artilleurs !

Tous étaient prêts. La barricade, qui se taisait depuis longtemps, fit feu éperdument, sept ou huit décharges se succédèrent avec une sorte de rage et de joie, la rue s'emplit d'une fumée aveuglante, et, au bout de quelques minutes, à travers cette brume, toute rayée de flammes, on put distin-

---

180. Canon (« pièce de huit » désigne le calibre).

guer confusément les deux tiers des artilleurs couchés sous les roues des canons.

— Encore un quart d'heure de ce succès, et il n'y aura plus dix cartouches dans la barricade.

Il paraît que Gavroche entendit ce mot.

Courfeyrac tout à coup aperçut quelqu'un au bas de la barricade : dehors dans la rue, sous les balles.

Gavroche avait pris un panier à bouteilles dans le cabaret, était sorti par la coupure, et était paisiblement occupé à vider dans son panier les gibernes pleines de cartouches des gardes nationaux tués sur le talus de la redoute.

— Qu'est-ce que tu fais là ? dit Courfeyrac.

Gavroche leva le nez.

— Citoyen, j'emplis mon panier.

— Tu ne vois donc pas la mitraille ?

Gavroche répondit :

— Eh bien, il pleut. Après ?

Courfeyrac cria :

— Rentre !

— Tout à l'heure, fit Gavroche.

Et, d'un bond, il s'enfonça dans la rue.

Une vingtaine de morts gisaient çà et là dans toute la longueur de la rue sur le pavé. Une vingtaine de gibernes pour Gavroche, une provision de cartouches pour la barricade.

Il rampait à plat ventre, galopait à quatre pattes, prenait son panier aux dents, se tordait, glissait, ondulait, serpentait d'un mort à l'autre, et vidait la giberne ou la cartouchière comme un singe ouvre une noix.

À force d'aller en avant, il parvint au point où le brouillard de la fusillade devenait transparent.

Au moment où Gavroche débarrassait de ses cartouches un sergent gisant près d'une borne, une balle frappa le cadavre.

— Fichtre ! fit Gavroche. Voilà qu'on me tue mes morts.

Une deuxième balle fit étinceler le pavé à côté de lui. Une troisième renversa son panier.

Cela continua ainsi quelque temps.

Les insurgés, haletants d'anxiété, le suivaient des yeux. La barricade tremblait ; lui, il chantait. C'était un étrange gamin fée. Les balles couraient après lui, il était plus leste qu'elles. Il jouait on ne sait quel effrayant jeu de cache-cache avec la mort ; chaque fois que la face camarde[181] du spectre s'approchait, le gamin lui donnait une pichenette.

Une balle pourtant, mieux ajustée, finit par atteindre l'enfant feu follet. On vit Gavroche chanceler, puis il s'affaissa. Toute la barricade poussa un cri ; Gavroche n'était tombé que pour se redresser, il resta assis sur son séant, un long filet de sang rayait son visage, il éleva ses deux bras en l'air, regarda du côté d'où était venu le coup, et se mit à chanter :

> *Je suis tombé par terre,*
> *C'est la faute à Voltaire,*
> *Le nez dans le ruisseau,*
> *C'est la faute à...*

Il n'acheva point. Une seconde balle du même tireur l'arrêta court. Cette fois il s'abattit la face contre le pavé, et ne remua plus. Cette petite grande âme venait de s'envoler.

------

181. Qui évoque la mort.

4

Jean Valjean se venge

Marius s'était élancé de la barricade. Combeferre l'avait suivi. Mais il était trop tard. Gavroche était mort. Combeferre rapporta le panier de cartouches ; Marius rapporta l'enfant.

Hélas ! pensait-il, ce que le père avait fait pour son père, il le rendait au fils ; seulement Thénardier avait rapporté son père vivant ; lui, il rapportait l'enfant mort.

Quand Marius rentra dans la redoute avec Gavroche dans ses bras, il avait, comme l'enfant, le visage inondé de sang.

À l'instant où il s'était baissé pour ramasser Gavroche, une balle lui avait effleuré le crâne ; il ne s'en était pas aperçu.

Courfeyrac défit sa cravate et en banda le front de Marius.

On déposa Gavroche sur une table.

Combeferre distribua les cartouches du panier qu'il avait rapporté.

Cela donnait à chaque homme quinze coups à tirer.

Tout à coup, entre deux décharges, on entendit le son lointain d'une heure qui sonnait.

— C'est midi, dit Combeferre.

— Montez des pavés dans la maison, jeta Enjolras. Garnissez-en le rebord de la fenêtre et des mansardes. La moitié des hommes aux fusils, l'autre moitié aux pavés. Pas une minute à perdre.

Ces dispositions faites, il se tourna vers Javert, et lui dit :

— Je ne t'oublie pas.

Et, posant sur la table un pistolet, il ajouta :

— Le dernier qui sortira d'ici cassera la tête à cet espion.

Ici Jean Valjean apparut. Il était confondu dans le groupe des insurgés. Il en sortit, et dit à Enjolras :

— Vous êtes le commandant ?

— Oui.

— Vous m'avez remercié tout à l'heure.

— Au nom de la République. La barricade a deux sauveurs, Marius Pontmercy et vous.

— Pensez-vous que je mérite une récompense ?

— Certes.

— Eh bien, j'en demande une. Brûler moi-même la cervelle à cet homme-là.

Javert leva la tête, vit Jean Valjean, eut un mouvement imperceptible, et dit :

— C'est juste.

Quant à Enjolras il s'était mis à recharger sa carabine ; il promena ses yeux autour de lui.

— Pas de réclamation ?

Et il se tourna vers Jean Valjean :

— Prenez le mouchard.

Jean Valjean, en effet, prit possession de Javert en s'asseyant sur l'extrémité de la table. Il saisit le pistolet, et un faible cliquetis annonça qu'il venait de l'armer.

Presque au même instant, on entendit une sonnerie de clairon.

— Alerte ! cria Marius du haut de la barricade.

Les insurgés s'élancèrent en tumulte.

Quand Valjean fut seul avec Javert, il défit la corde qui assujettissait le prisonnier par le milieu du corps, et dont le nœud était sous la table. Après quoi, il lui fit signe de se lever.

Jean Valjean, le pistolet au poing, prit Javert par la martingale comme on prendrait une bête de somme par la bricole[182], et l'entraînant après lui, sortit du cabaret, lentement, car Javert, entravé aux jambes, ne pouvait faire que de très petits pas.

Ils franchirent ainsi le trapèze intérieur de la barricade. Marius, seul, les vit passer.

Jean Valjean fit escalader, avec quelque peine, à Javert garrotté, mais sans le lâcher un seul instant, le petit retranchement de la ruelle Mondétour.

Quand ils eurent enjambé ce barrage, ils se trouvèrent seuls dans la ruelle.

Jean Valjean tira de son gousset un couteau, et l'ouvrit.

— Un surin ! s'écria Javert. Tu as raison. Cela te convient mieux.

Jean Valjean coupa la martingale que Javert avait au cou, puis il coupa les cordes qu'il avait aux poignets, puis, se baissant, il coupa la ficelle qu'il avait aux pieds ; et se redressant, il lui dit :

---

182. Harnais.

— Vous êtes libre.

Javert n'était pas facile à étonner.

Cependant, tout maître qu'il était de lui, il ne put se soustraire à une commotion. Il resta béant et immobile.

Jean Valjean poursuivit :

— Je ne crois pas que je sorte d'ici. Pourtant, si, par hasard, j'en sortais, je demeure, sous le nom de Fauchelevent, rue de l'Homme-Armé, numéro sept.

Javert eut un froncement de tigre qui lui entrouvrit un coin de la bouche, et il murmura entre ses dents :

— Prends garde.

— Allez, dit Jean Valjean.

Javert reboutonna sa redingote, remit de la roideur[183] militaire entre ses deux épaules, fit demi-tour, croisa les bras en soutenant son menton dans une de ses mains, et se mit à marcher dans la direction des Halles.

Quand Javert eut disparu, Jean Valjean déchargea le pistolet en l'air.

Puis il rentra dans la barricade et dit :

— C'est fait.

183. Raideur.

5

Les héros

Tout à coup le tambour battit la charge. L'attaque fut l'ouragan. Les insurgés firent feu impétueusement. La barricade escaladée eut une crinière d'éclairs. L'assaut fut si forcené qu'elle fut un moment inondée d'assaillants.

On se battait corps à corps, pied à pied, à coups de pistolet, à coups de sabre, à coups de poing, de loin, de près, d'en haut, d'en bas, de partout, des toits de la maison, des fenêtres du cabaret, des soupiraux des caves où quelquesuns s'étaient glissés. Ils étaient un contre soixante. Laigle fut tué ; Feuilly fut tué ; Courfeyrac fut tué ; Joly fut tué ; Combeferre, traversé de trois coups de bayonnette dans la poitrine au moment où il relevait un soldat blessé, n'eut que le temps de regarder le ciel, et expira.

Marius, toujours combattant, était si criblé de blessures, particulièrement à la tête, qu'on eût dit qu'il avait la face couverte d'un mouchoir rouge.

Enjolras seul n'était pas atteint. Quand il n'avait plus d'arme, il tendait la main à droite ou à gauche et un insurgé lui mettait une arme quelconque au poing.

Quand il n'y eut plus qu'Enjolras et Marius aux deux extrémités de la barricade, le centre plia. Le canon avait assez largement échancré le milieu de la redoute ; là, le sommet de la muraille avait disparu sous le boulet, et s'était écroulé, et les débris qui étaient tombés, tantôt à l'intérieur, tantôt à l'extérieur, avaient fini, en s'amoncelant, par faire, des deux côtés du barrage, deux espèces de talus, l'un au dedans, l'autre au dehors. Le talus extérieur offrait à l'abordage un plan incliné.

Un suprême assaut y fut tenté et cet assaut réussit. La masse hérissée de bayonnettes et lancée au pas gymnastique arriva irrésistible, et l'épais front de bataille de la colonne d'attaque apparut dans la fumée au haut de l'escarpement. Cette fois, c'était fini. Le groupe d'insurgés qui défendait le centre recula pêle-mêle.

Mais Enjolras et Marius, et sept ou huit ralliés autour d'eux, s'étaient élancés et les protégeaient. Enjolras avait crié aux soldats : N'avancez pas ! et un officier n'ayant pas obéi, Enjolras avait tué l'officier. Il était maintenant dans la petite cour intérieure de la redoute, adossé à la maison de Corinthe, l'épée d'une main, la carabine de l'autre, tenant ouverte la porte du cabaret qu'il barrait aux assaillants. Tous s'y précipitèrent. La porte fut close avec une telle violence qu'en se remboîtant dans son cadre, elle laissa voir coupés et collés à son chambranle les cinq doigts d'un soldat qui s'y était cramponné.

Marius était resté dehors. Un coup de feu venait de lui casser la clavicule ; il sentit qu'il s'évanouissait et qu'il tombait. Les yeux déjà fermés, il eut la commotion d'une main vigoureuse qui le saisissait, et en s'évanouissant, il pensa : Je suis fait prisonnier. Je serai fusillé.

Les assaillants, en se ruant dans le cabaret, n'y trouvèrent pas un combattant. Tout ce qui n'était pas tué était au premier étage, et là, par le trou du plafond, qui avait été l'entrée de l'escalier, un feu terrifiant éclata. C'étaient les dernières cartouches.

Enfin, se faisant la courte échelle, s'aidant du squelette de l'escalier, une vingtaine d'assiégeants firent irruption dans la salle du premier étage. Il n'y avait plus là qu'un seul homme qui fût debout, Enjolras. Un cri s'éleva :

— C'est le chef. Puisqu'il s'est mis là, il y est bien, qu'il y reste. Fusillons-le sur place.

— Fusillez-moi, dit Enjolras.

L'audace de bien mourir émeut toujours les hommes. Un garde national qui visait Enjolras abaissa son arme en disant : « Il me semble que je vais fusiller une fleur. »

Douze hommes se formèrent en peloton à l'angle opposé à Enjolras, et apprêtèrent leurs fusils en silence.

Enjolras, traversé de huit coups de feu, resta adossé au mur comme si les balles l'y eussent cloué. Seulement il pencha la tête.

6

Dans l'égout

Marius était prisonnier. Prisonnier de Jean Valjean.

La main qui l'avait étreint par derrière au moment où il tombait était celle de Jean Valjean.

Personne ne vit Jean Valjean, soutenant dans ses bras Marius évanoui, traverser le champ dépavé de la barricade et disparaître derrière l'angle de la maison de Corinthe. La situation était épouvantable. On se battait à quelques pas de lui ; par bonheur tous s'acharnaient sur un point unique, sur la porte du cabaret ; mais qu'un soldat, un seul, eût l'idée de tourner la maison, tout était fini.

Jean Valjean regarda la maison en face de lui, il regarda la barricade à côté de lui puis il regarda la terre, comme s'il eût voulu y faire un trou avec ses yeux. À force de regarder, il aperçut, à quelques pas de lui, une grille de fer posée à plat et de niveau avec le sol. Jean Valjean s'élança. Sa vieille science des évasions lui monta au cerveau comme une clarté. Écarter les pavés, soulever la grille, charger sur ses épaules Marius inerte comme un corps mort, descendre avec ce fardeau sur les reins, en s'aidant des coudes et des genoux, dans cette espèce de puits heureusement peu profond, laisser retomber au-dessus de sa tête la lourde trappe de fer sur laquelle les pavés ébranlés s'écroulèrent de nouveau, prendre pied sur une surface dallée à trois mètres au-dessous du sol, cela fut exécuté, avec une force de géant et une rapidité d'aigle ; cela dura quelques minutes à peine.

Jean Valjean se trouva, avec Marius toujours évanoui, dans une sorte de long corridor souterrain. Là, paix profonde, silence absolu, nuit.

Se diriger était malaisé.

Il allait devant lui, avec anxiété, mais avec calme, ne voyant rien, ne sachant rien, plongé dans le hasard, c'est-à-dire englouti dans la providence. Jean Valjean était obligé de trouver et presque d'inventer sa route.

Dans cet inconnu, chaque pas qu'il risquait pouvait être le dernier. Comment sortirait-il de là ? Trouverait-il une issue ? La trouverait-il à temps ?

Tout à coup il vit son ombre devant lui. Stupéfait, il se retourna.

Derrière lui, dans la partie du couloir qu'il venait de dépasser, à une distance qui lui parut immense, flamboyait, rayant l'épaisseur obscure, une sorte d'astre horrible qui avait l'air de le regarder.

C'était la sombre étoile de la police qui se levait dans l'égout.

Derrière cette étoile remuaient confusément huit ou dix formes noires, droites, indistinctes, terribles.

Dans la journée du 6 juin, une battue des égouts avait été ordonnée. On craignit qu'ils ne fussent pris pour refuge par les vaincus. Trois pelotons d'agents et d'égoutiers explorèrent la voirie souterraine de Paris.

Ce qui était en ce moment dirigé sur Jean Valjean, c'était la lanterne de la ronde.

Les hommes de police avaient cru entendre un bruit de pas dans la direction de l'égout de ceinture. C'étaient les pas de Jean Valjean en effet. Le sergent chef de la ronde avait élevé sa lanterne, et l'escouade s'était mise à regarder dans le brouillard du côté d'où venait le bruit.

Ce fut pour Jean Valjean une minute inexprimable.

Heureusement, s'il voyait bien la lanterne, la lanterne le voyait mal. Il était très loin, et mêlé à la noirceur du lieu. Il se rencogna le long du mur et s'arrêta.

Jean Valjean s'étant arrêté, le bruit avait cessé.

Les hommes de la ronde écoutaient et n'entendaient rien, ils regardaient et ne voyaient rien. Ils se consultèrent.

Jean Valjean vit ces larves faire une sorte de cercle. Le résultat de ce conseil tenu par les chiens de garde fut qu'on s'était trompé, qu'il n'y avait pas eu de bruit, qu'il n'y avait là personne, qu'il était inutile de s'engager dans l'égout de ceinture, que ce serait du temps perdu.

Le sergent donna l'ordre d'obliquer à gauche, vers le versant de la Seine. La ronde se remit en marche, laissant derrière elle Jean Valjean.

7

L'homme filé

Dans l'après-midi du 6 juin au bord de la Seine, sur la berge de la rive droite un peu au-delà du pont des Invalides, deux hommes séparés par une certaine distance semblaient s'observer, l'un évitant l'autre. Celui qui allait en avant tâchait de s'éloigner, celui qui venait par-derrière tâchait de se rapprocher.

C'était comme une partie d'échecs qui se jouait de loin et silencieusement.

L'homme qui allait devant eût apparu comme un être hérissé, déguenillé et oblique, inquiet et grelottant sous une blouse en haillons, et l'autre comme une personne classique et officielle, portant la redingote de l'autorité boutonnée jusqu'au menton.

L'homme boutonné, apercevant de la berge sur le quai un fiacre qui passait à vide, fit signe au cocher ; le cocher comprit, reconnut évidemment à qui il avait à faire, tourna bride et se mit à suivre au pas du haut du quai les deux hommes. Ceci ne fut pas aperçu du personnage louche et déchiré qui allait en avant.

Sa position devenait critique. À moins de se jeter dans la Seine, qu'allait-il faire ?

Aucun moyen de remonter sur le quai ; plus de rampe et pas d'escalier. Là il allait inévitablement se trouver bloqué entre le mur à pic à sa droite, la rivière à gauche et en face, et l'autorité sur ses talons.

Il est vrai que cette fin de la berge était masquée au regard par un monceau de déblais de six à sept pieds de haut, produit d'on ne sait quelle démolition.

L'homme suivi arriva à cette petite colline et la doubla, de sorte qu'il cessa d'être aperçu par l'autre.

Celui-ci, ne voyant pas, n'était pas vu ; il en profita pour abandonner toute dissimulation, et pour marcher très rapidement. En quelques instants il fut au monceau de déblais et le tourna. Là, il s'arrêta stupéfait. L'homme qu'il chassait n'était plus là. Qu'était-il devenu ?

L'homme à la redingote boutonnée marcha jusqu'à l'extrémité de la berge, et y resta un moment pensif. Tout à coup il se frappa le front. Il venait d'apercevoir, au point où finissait la terre et où l'eau commençait, une grille de fer large et basse, garnie d'une épaisse serrure et de trois gonds massifs. Cette grille s'ouvrait sur la rivière autant que sur la berge. Un ruisseau noirâtre passait dessous. Ce ruisseau se dégorgeait dans la Seine.

Au-delà de ses lourds barreaux rouillés on distinguait une sorte de corridor voûté et obscur.

L'homme croisa les bras et regarda la grille d'un air de reproche.

Ce regard ne suffisant pas, il essaya de la pousser ; il la secoua, elle résista solidement. Il était probable qu'elle venait d'être ouverte, mais il était certain qu'elle avait été refermée. Cela indiquait que celui devant qui cette porte devait tourner avait une clef.

Cette évidence éclata tout de suite à l'esprit de l'homme qui s'efforçait d'ébranler la grille :

— Voilà qui est fort ! une clef du gouvernement ! Tiens, tiens !

Cela dit, espérant on ne sait quoi, ou voir ressortir l'homme, ou en voir entrer d'autres, il se posta aux aguets derrière le tas de déblais, avec la rage patiente du chien d'arrêt.

De son côté, le fiacre, qui se réglait sur toutes ses allures, avait fait halte au-dessus de lui près du parapet.

8

Sauvés

Jean Valjean avait repris sa marche et ne s'était plus arrêté.
Cette marche était de plus en plus laborieuse. Jean Valjean
était forcé de se courber pour ne pas heurter Marius à la
voûte ; il fallait à chaque instant se baisser, puis se redresser, tâter sans cesse le mur. La moiteur des pierres et la
viscosité du radier [184] en faisaient de mauvais points d'appui, soit pour la main, soit pour le pied. Il trébuchait dans
le hideux fumier de la ville.

Un peu au-delà d'un affluent qui était vraisemblablement
le branchement de la Madeleine, il fit halte. Il était très las.
Un soupirail assez large donnait une lumière presque vive.
Jean Valjean, avec la douceur de mouvements qu'aurait un
frère pour son frère blessé, déposa Marius sur la banquette
de l'égout. La face sanglante de Marius apparut sous la
lueur blanche du soupirail comme au fond d'une tombe.
Jean Valjean, écartant du bout des doigts les vêtements, lui
posa la main sur la poitrine ; le cœur battait encore. Jean

---

184. Sol de l'égout.

Valjean déchira sa chemise, banda les plaies le mieux qu'il put et arrêta le sang qui coulait ; puis se penchant dans ce demi-jour sur Marius toujours sans connaissance et presque sans souffle, il le regarda avec une inexprimable haine.

En dérangeant les vêtements de Marius, il avait trouvé dans les poches deux choses, le pain qui y était oublié depuis la veille, et le portefeuille de Marius. Il mangea le pain et ouvrit le portefeuille. Sur la première page, il trouva les quatre lignes écrites par Marius. On s'en souvient :

« Je m'appelle Marius Pontmercy. Porter mon cadavre chez mon grand-père M. Gillenormand, rue des Filles-du-Calvaire, n° 6, au Marais. »

Il replaça le portefeuille dans la poche de Marius. Il avait mangé, la force lui était revenue ; il reprit Marius sur son dos, lui appuya soigneusement la tête sur son épaule droite, et se remit à descendre l'égout.

L'obscurité s'épaississait autour de Jean Valjean. Il n'en continua pas moins d'avancer, tâtonnant dans l'ombre. Brusquement il sentit qu'il entrait dans l'eau, et qu'il avait sous ses pieds, non plus du pavé, mais de la vase.

Jean Valjean se trouvait en présence d'un fontis[185].

Il entra dans cette fange. C'était de l'eau à la surface, de la vase au fond. Il fallait bien passer. Revenir sur ses pas était impossible. Marius était expirant et Jean Valjean exténué. Où aller d'ailleurs ? Jean Valjean avança. Il eut bientôt de la vase jusqu'à mi-jambe et de l'eau plus haut que les genoux. Il marchait, exhaussant de ses deux bras Marius le plus qu'il pouvait au-dessus de l'eau. La vase lui venait maintenant aux jarrets et l'eau à la ceinture. Il ne pouvait déjà plus reculer. Il enfonçait de plus en plus. Cette vase, assez dense pour le poids d'un homme, ne pouvait

---

185. Effondrement d'une galerie souterraine.

évidemment en porter deux. Jean Valjean continua d'avancer, soutenant ce mourant qui était un cadavre peut-être.

L'eau lui venait aux aisselles ; il se sentait sombrer ; c'est à peine s'il pouvait se mouvoir dans la profondeur de bourbe où il était. Il soulevait toujours Marius, et, avec une dépense de force inouïe, il avançait ; mais il enfonçait. Il n'avait plus que la tête hors de l'eau, et ses deux bras relevant Marius.

Il enfonça encore, il renversa sa face en arrière pour échapper à l'eau et pouvoir respirer ; il fit un effort désespéré, et lança son pied en avant ; son pied heurta on ne sait quoi de solide, un point d'appui. Il était temps.

Il se dressa et se tordit et s'enracina avec une sorte de furie sur ce point d'appui. Cela lui fit l'effet de la première marche d'un escalier remontant à la vie. Jean Valjean remonta ce plan incliné et arriva de l'autre côté de la fondrière.

Il marcha désespérément, presque vite, sans dresser la tête, presque sans respirer, et tout à coup se cogna au mur. Il était parvenu à un coude de l'égout, et, en arrivant tête basse au tournant, il avait rencontré la muraille. Il leva les yeux, et à l'extrémité du souterrain, là-bas devant lui, loin, très loin, il aperçut une lumière. Cette fois, ce n'était pas la lumière terrible ; c'était la lumière bonne et blanche. C'était le jour.

Jean Valjean voyait l'issue. Jean Valjean ne sentit plus la fatigue, il ne sentit plus le poids de Marius, il retrouva ses jarrets d'acier. Il courut plus qu'il ne marcha.

Jean Valjean arriva à l'issue.

Là, il s'arrêta. L'arche était fermée d'une forte grille, une de ces serrures de Bastilles que le vieux Paris prodiguait volontiers.

Au-delà de la grille, le grand air, la rivière, le jour, la berge très étroite, mais suffisante pour s'en aller, les quais lointains, Paris, la liberté.

Il pouvait être huit heures et demie du soir. Le jour baissait.

Jean Valjean déposa Marius le long du mur sur la partie sèche du radier, puis marcha à la grille et crispa ses deux poings sur les barreaux. Pas de levier ; l'obstacle était invincible.

Il tourna le dos à la grille, et tomba sur le pavé, plutôt terrassé qu'assis, près de Marius toujours sans mouvement, et sa tête s'affaissa entre ses genoux. Pas d'issue. C'était la dernière goutte de l'angoisse.

Au milieu de cet anéantissement, une main se posa sur son épaule, et une voix qui parlait bas lui dit :

— Part à deux.

Jean Valjean crut rêver. Était-ce possible ? Il leva les yeux. Un homme était devant lui.

Jean Valjean n'eut pas un moment d'hésitation. Si imprévue que fût la rencontre, cet homme lui était connu. Cet homme était Thénardier.

Il y eut un instant d'attente.

Jean Valjean s'aperçut tout de suite que Thénardier ne le reconnaissait pas.

Ils se considérèrent un moment dans cette pénombre, comme s'ils se prenaient mesure. Thénardier rompit le silence.

— Comment vas-tu faire pour sortir ? Impossible de crocheter la porte. Il faut pourtant que tu t'en ailles d'ici.

— C'est vrai, dit Jean Valjean.

— Eh bien, part à deux.

— Que veux-tu dire ?

— Tu as tué l'homme ; c'est bien. Moi, j'ai la clef.

Thénardier montrait du doigt Marius, il poursuivit :

— Je ne te connais pas, mais je veux t'aider. Tu dois être un ami.

Jean Valjean commença à comprendre. Thénardier le prenait pour un assassin.

Thénardier reprit :

— Écoute, camarade. Tu n'as pas tué cet homme sans regarder ce qu'il avait dans ses poches. Donne-moi ma moitié. Je t'ouvre la porte.

Et tirant à demi une grosse clef de dessous sa blouse toute trouée, il ajouta :

— Veux-tu voir comment est faite la clef des champs ? Voilà. Maintenant, concluons l'affaire. Partageons. Tu as vu ma clef, montre-moi ton argent.

Thénardier était hagard, fauve, louche, un peu menaçant, pourtant amical.

Thénardier reprit :

— Finissons. Combien le pantre[186] avait-il dans ses profondes[187]?

Jean Valjean se fouilla. Il n'avait que quelque monnaie dans le gousset de son gilet. Il retourna sa poche, toute trempée de fange, et étala sur la banquette du radier un louis d'or, deux pièces de cinq francs et cinq ou six gros sous.

Thénardier avança la lèvre inférieure avec une torsion de cou significative.

— Tu l'as tué pour pas cher, dit-il.

Oubliant le mot « part à deux », il prit tout.

---

186. Imbécile.
187. Poches.

Thénardier aida Jean Valjean à replacer Marius sur ses épaules, puis il se dirigea vers la grille sur la pointe de ses pieds nus, faisant signe à Jean Valjean de le suivre, il regarda au-dehors ; l'inspection faite, il mit la clef dans la serrure. Le pêne glissa et la porte tourna. Il n'y eut ni craquement, ni grincement. Cela se fit très doucement.

Thénardier entrebâilla la porte, livra tout juste passage à Jean Valjean, referma la grille, tourna deux fois la clef dans la serrure, et replongea dans l'obscurité, sans faire plus de bruit qu'un souffle.

Jean Valjean se trouva dehors.

9

Résurrection de Marius

Il laissa glisser Marius sur la berge.

Ils étaient dehors !

Il se courba vers Marius, et, puisant de l'eau dans le creux de sa main, il lui en jeta doucement quelques gouttes sur le visage. Les paupières de Marius ne se soulevèrent pas ; cependant sa bouche entrouverte respirait.

Jean Valjean allait plonger de nouveau sa main dans la rivière, quand tout à coup il sentit je ne sais quelle gêne, comme lorsqu'on a, sans le voir, quelqu'un derrière soi.

Il se retourna. Quelqu'un en effet était derrière lui.

Jean Valjean reconnut Javert.

— Inspecteur Javert, dit-il, vous me tenez. Prenez-moi. Seulement, accordez-moi une chose.

Javert semblait ne pas entendre.

— Que faites-vous là ? et qu'est-ce que c'est que cet homme ?

Jean Valjean répondit, et le son de sa voix parut réveiller Javert :

— C'est de lui précisément que je voulais vous parler. Disposez de moi comme il vous plaira ; mais aidez-moi à le rapporter chez lui. Je ne vous demande que cela.

La face de Javert se contracta comme cela lui arrivait toutes les fois qu'on semblait le croire capable d'une concession. Cependant il ne dit pas non.

Il se courba de nouveau, tira de sa poche un mouchoir qu'il trempa dans l'eau, et essuya le front ensanglanté de Marius.

— Cet homme était à la barricade, dit-il à demi-voix et comme se parlant à lui-même. C'est celui qu'on appelait Marius.

— Vous l'avez donc apporté de la barricade ici ? observa Javert.

Il fallait que sa préoccupation fût profonde pour qu'il n'insistât point sur cet inquiétant sauvetage par l'égout et pour qu'il ne remarquât même pas le silence de Jean Valjean après sa question.

Jean Valjean, de son côté, semblait avoir une pensée unique. Il fouilla dans l'habit de Marius, en tira le porte-feuille, l'ouvrit à la page crayonnée par Marius, et le tendit à Javert.

Il y avait encore dans l'air assez de clarté flottante pour qu'on pût lire. Javert déchiffra les quelques lignes écrites par Marius, et grommela :

— Gillenormand, rue des Filles-du-Calvaire, numéro 6.

Puis il cria : – Cocher !

Un moment après, la voiture, descendue par la rampe, était sur la berge, Marius était déposé sur la banquette du fond, et Javert s'asseyait près de Jean Valjean sur la banquette de devant.

La portière refermée, le fiacre s'éloigna rapidement, remontant les quais dans la direction de la Bastille.

Il était nuit close quand le fiacre arriva au numéro 6 de la rue des Filles-du-Calvaire.

Javert mit pied à terre le premier, constata le numéro au-dessus de la porte cochère et, soulevant le lourd marteau de fer battu, frappa un coup violent. Le battant s'entrouvrit, et Javert le poussa. Le portier se montra à demi, bâillant, vaguement réveillé, une chandelle à la main.

Cependant Jean Valjean et le cocher tiraient Marius du fiacre, Jean Valjean le soutenant sous les aisselles et le cocher sous les jarrets.

Javert interpella le portier du ton qui convient au gouvernement, en présence du portier d'un factieux[188].

— Quelqu'un qui s'appelle Gillenormand ?

— C'est ici. Que lui voulez-vous ?

— On lui rapporte son fils.

— Son fils ? dit le portier avec hébétement.

— Allez réveiller le père.

Le portier se borna à réveiller Basque. Basque réveilla la tante Gillenormand. Quant au grand-père, on le laissa dormir, pensant qu'il saurait toujours la chose assez tôt.

On monta Marius au premier étage, sans que personne, du reste, s'en aperçût dans les autres parties de la maison, et on le déposa sur un vieux canapé dans l'antichambre de M. Gillenormand ; et tandis que Basque allait chercher un médecin, Jean Valjean sentit Javert qui lui touchait l'épaule. Il comprit, et redescendit, ayant derrière lui le pas de Javert qui le suivait.

---

188. Agitateur, révolté.

Ils remontèrent dans le fiacre, et le cocher sur son siège.

— Inspecteur Javert, dit Jean Valjean, accordez-moi encore une chose.

— Laquelle ? demanda rudement Javert.

— Laissez-moi rentrer un moment chez moi. Ensuite vous ferez de moi ce que vous voudrez.

Javert demeura quelques instants silencieux, menton rentré dans le collet de sa redingote, puis il baissa la vitre de devant.

— Cocher, dit-il, rue de l'Homme-Armé, numéro 7.

À l'entrée de la rue de l'Homme-Armé, le fiacre s'arrêta, cette rue étant trop étroite pour que les voitures puissent y pénétrer. Javert et Jean Valjean descendirent.

Javert tira de sa poche quatre napoléons et congédia le fiacre.

Jean Valjean pensa que l'intention de Javert était de le conduire à pied au poste des Blancs-Manteaux ou au poste des Archives qui sont tout près.

Ils s'engagèrent dans la rue. Elle était comme d'habitude déserte. Javert suivait Jean Valjean. Ils arrivèrent au numéro 7. Jean Valjean frappa. La porte s'ouvrit.

— C'est bien, dit Javert. Montez.

Il ajouta avec une expression étrange et comme s'il faisait effort en parlant de la sorte :

— Je vous attends ici.

Jean Valjean regarda Javert. Cette façon de faire était peu dans les habitudes de Javert. Il poussa la porte, entra dans la maison, cria au portier qui était couché et qui avait fixé le cordon de son lit : C'est moi ! et monta l'escalier.

Parvenu au premier étage, il fit une pause. La fenêtre du palier était ouverte ; elle prenait jour et avait vue sur

la rue. Jean Valjean, soit pour respirer, soit machinalement, mit la tête à cette fenêtre. Il se pencha sur la rue.
Jean Valjean eut un éblouissement de stupeur ; il n'y avait
plus personne.

Javert s'en était allé.

Pendant ce temps, rue des Filles-du-Calvaire, Basque
et le portier avaient transporté Marius dans le salon où,
sur l'ordre du médecin, un lit de sangle avait été dressé.
Le médecin examina Marius, et après avoir constaté que le
pouls persistait, que le blessé n'avait à la poitrine aucune
plaie pénétrante, il le fit poser à plat sur le lit, sans oreiller,
la tête sur le même plan que le corps, le buste nu, afin de
faciliter la respiration.

Au moment où le médecin essuyait la face et touchait
légèrement du doigt les paupières toujours fermées, une
porte s'ouvrit au fond du salon, et une longue figure pâle
apparut.

C'était le grand-père.

Les vieillards ont le sommeil fragile ; la chambre de
M. Gillenormand était contiguë au salon, et, quelques
précautions qu'on eût prises, le bruit l'avait réveillé. Surpris
de la fente de lumière qu'il voyait à sa porte, il était sorti de
son lit et était venu à tâtons.

Il était sur le seuil, une main sur le bec-de-cane de la
porte entrebâillée.

Il aperçut le lit, et sur le matelas ce jeune homme sanglant,
blanc d'une blancheur de cire, les yeux fermés, la bouche
ouverte, les lèvres blêmes, nu jusqu'à la ceinture, tailladé
partout de plaies vermeilles, immobile, vivement éclairé.

L'aïeul eut de la tête aux pieds un long frisson, et il
murmura :

— Marius !

— Monsieur, dit Basque, on vient de rapporter monsieur. Il est allé à la barricade, et...

En ce moment, Marius ouvrit lentement les paupières, et son regard, encore voilé par l'étonnement léthargique, s'arrêta sur M. Gillenormand.

— Marius ! cria le vieillard. Marius ! mon petit Marius ! mon enfant ! mon fils bien-aimé ! Tu ouvres les yeux, tu me regardes, tu es vivant, merci !

Et il tomba évanoui.

10

Javert se suicide

Javert s'était éloigné à pas lents de la rue de l'Homme-Armé.

Il marchait la tête baissée, pour la première fois de sa vie, et, pour la première fois de sa vie également, les mains derrière le dos.

Toute sa personne, lente et sombre, était empreinte d'anxiété.

Il s'enfonça dans les rues silencieuses.

Il coupa par le plus court vers la Seine, gagna le quai des Ormes, longea le quai, dépassa la Grève, et s'arrêta, à quelque distance du poste de la place du Châtelet, à l'angle du pont Notre-Dame.

Javert appuya ses deux coudes sur le parapet, son menton dans ses deux mains. Ses ongles se crispaient machinalement dans l'épaisseur de ses favoris. Javert souffrait affreusement.

Devoir la vie à un malfaiteur, accepter cette dette et la rembourser, être, en dépit de soi-même, de plain-pied avec un repris de justice, et lui payer un service avec un autre service ; se laisser dire : Va-t'en, et lui dire à son tour : Sois libre ; cela l'atterrait.

Où en était-il ? il se cherchait et ne se trouvait plus.

Sa rêverie devenait peu à peu terrible.

Jean Valjean le déconcertait. Tous les axiomes[189] qui avaient été les points d'appui de toute sa vie s'écroulaient devant cet homme. La générosité de Jean Valjean envers lui Javert l'accablait. D'autres faits, qu'il se rappelait et qu'il avait autrefois traités de mensonges et de folies, lui revenaient maintenant comme des réalités. M. Madeleine reparaissait derrière Jean Valjean, et les deux figures se superposaient de façon à n'en plus faire qu'une, qui était vénérable. Javert sentait que quelque chose d'horrible pénétrait dans son âme, l'admiration pour un forçat. Le respect d'un galérien, est-ce que c'est possible ? Il en frémissait, et ne pouvait s'y soustraire. Il avait beau se débattre, il était réduit à confesser dans son for intérieur la sublimité[190] de ce misérable. Cela était odieux.

Il était forcé de reconnaître que la bonté existait. Ce forçat avait été bon. Et lui-même, chose inouïe, il venait d'être bon. Donc il se dépravait.

L'idéal pour Javert, ce n'était pas d'être humain, d'être grand, d'être sublime ; c'était d'être irréprochable.

Or il venait de faillir.

État violent, s'il en fut. Il n'y avait que deux manières d'en sortir. L'une d'aller résolument à Jean Valjean, et de rendre au cachot l'homme du bagne. L'autre...

Javert, tout à coup, ôta son chapeau et le posa sur le rebord du quai. Un moment après, une figure haute et

---

189. Principes.
190. Grandeur.

noire, que de loin quelque passant attardé eût pu prendre pour un fantôme, apparut debout sur le parapet, se courba vers la Seine, puis se redressa, et tomba droite dans les ténèbres ; il y eut un clapotement sourd ; et l'ombre seule fut dans le secret des convulsions de cette forme obscure disparue sous l'eau.

11

Marius retrouve Cosette

Marius fut longtemps ni mort ni vivant. Il eut durant plusieurs semaines une fièvre accompagnée de délire.

Il répéta le nom de Cosette pendant des nuits entières avec la sombre opiniâtreté de l'agonie. Tant qu'il y eut péril, M. Gillenormand, éperdu au chevet de son petit-fils, fut comme Marius ; ni mort ni vivant.

Tous les jours, et quelquefois deux fois par jour, un monsieur en cheveux blancs, fort bien mis, tel était le signalement donné par le portier, venait savoir des nouvelles du blessé, et déposait pour les pansements un gros paquet de charpie.

Enfin, le 7 septembre, quatre mois, jour pour jour, après la douloureuse nuit où on l'avait rapporté mourant chez son grand-père, le médecin déclara qu'il répondait de lui. La convalescence s'ébaucha.

Un jour, M. Gillenormand, tandis que sa fille mettait en ordre les fioles et les tasses sur le marbre de la commode, était penché sur Marius, et lui disait de son accent le plus tendre :

— Vois-tu, mon petit Marius, à ta place je mangerais maintenant plutôt de la viande que du poisson. Un sole frite, cela est excellent pour commencer une convalescence, mais, pour mettre le malade debout, il faut une bonne côtelette.

Marius, dont presque toutes les forces étaient revenues, les rassembla, se dressa sur son séant, appuya ses deux poings crispés sur les draps de son lit, regarda son grand-père en face, prit un air terrible, et dit :

— Ceci m'amène à vous dire une chose.

— Laquelle ?

— C'est que je veux me marier.

— Prévu, dit le grand-père. Et il éclata de rire.

— Comment, prévu ?

— Oui, prévu. Tu l'auras, ta fillette.

Marius, stupéfait et accablé par l'éblouissement, trembla de tous ses membres.

M. Gillenormand continua :

— Oui, tu l'auras, ta belle jolie petite fille. Elle vient tous les jours sous la forme d'un vieux monsieur savoir de tes nouvelles. Depuis que tu es blessé, elle passe son temps à pleurer et à faire de la charpie. Je me suis informé. Elle demeure rue de l'Homme-Armé, numéro sept. Ah, nous y voilà ! Ah ! tu la veux. Eh bien, tu l'auras.

Et il prit la tête de Marius, et il la serra dans ses deux bras contre sa vieille poitrine.

— Mon père ! s'écria Marius.

— Ah ! tu m'aimes donc ? dit le vieillard.

Il y eut un moment ineffable. Ils étouffaient et ne pouvaient parler.

Marius dégagea sa tête des bras de l'aïeul, et dit doucement :

— Mais, mon père, à présent que je me porte bien, il me semble que je pourrais la voir.

— Prévu encore, tu la verras demain.

— Pourquoi pas aujourd'hui ?

— Eh bien, aujourd'hui. Va pour aujourd'hui. Tu m'as dit deux fois « mon père », ça vaut bien ça. Je vais m'en occuper. On te l'amènera.

Cosette et Marius se revirent.

Ce que fut l'entrevue, nous renonçons à le dire. Il y a des choses qu'il ne faut pas essayer de peindre ; le soleil est du nombre.

Toute la famille était réunie dans la chambre de Marius au moment où Cosette entra.

Elle était aussi effarouchée qu'on peut l'être par le bonheur. Elle balbutiait, toute pâle, toute rouge, voulant se jeter dans les bras de Marius, et n'osant pas.

Avec elle, était entré un homme en cheveux blancs, grave, souriant néanmoins, mais d'un vague et poignant sourire. C'était « M. Fauchelevent » ; c'était Jean Valjean.

Il *était très bien mis,* comme avait dit le portier, entièrement vêtu de noir et de neuf et en cravate blanche.

M. Fauchelevent, dans la chambre de Marius, restait comme à l'écart près de la porte. Il avait sous le bras un paquet assez semblable à un volume in-octavo, enveloppé dans du papier. Le papier de l'enveloppe était verdâtre et semblait moisi.

— Est-ce que ce monsieur a toujours comme cela des livres sous le bras ? demanda à voix basse à Nicolette Mlle Gillenormand qui n'aimait point les livres.

— Eh bien, répondit du même ton M. Gillenormand qui l'avait entendue, c'est un savant. Après ? Est-ce sa faute ?

Et saluant, il dit à haute voix :

— Monsieur Tranchelevent...

Le père Gillenormand ne le fit pas exprès, mais l'inattention aux noms propres était chez lui une manière aristocratique.

— Monsieur Tranchelevent, j'ai l'honneur de vous demander pour mon petit-fils, M. le baron Marius Pontmercy, la main de mademoiselle.

« M. Tranchelevent » s'inclina.

— C'est dit, fit l'aïeul.

Et, se tournant vers Marius et Cosette, les deux bras étendus et bénissant, il cria :

— Permission de vous adorer.

Ils ne se le firent pas dire deux fois.

Au bout d'un moment M. Gillenormand s'assit près de Marius et Cosette et prit leurs quatre mains dans ses vieilles mains ridées.

— Elle est exquise, cette Cosette-là ! Elle est très petite fille et très grande dame. Elle ne sera que baronne, c'est déroger[191] ; elle est née marquise. Vous a-t-elle des cils ! Seulement, ajouta-t-il rembruni tout à coup, quel malheur ! Voilà que j'y pense ! Plus de la moitié que j'ai est en viager ; tant que je vivrai cela ira encore, mais après ma mort, dans une vingtaine d'années d'ici, ah ! mes pauvres enfants vous n'aurez pas le sou ! Vos belles mains blanches, madame la baronne, feront au diable l'honneur de le tirer par la queue.

Ici on entendit une voix grave et tranquille qui disait :

— Mlle Euphrasie Fauchelevent a six cent mille francs.

C'était la voix de Jean Valjean.

---

191. Perdre les privilèges de ce rang.

Il n'avait pas encore prononcé une parole, personne ne semblait même plus savoir qu'il était là, et il se tenait debout immobile derrière tous ces gens heureux.

— Qu'est-ce que c'est que cette Mlle Euphrasie en question ? demanda le grand-père effaré.

— C'est moi, répondit Cosette.

— Six cent mille francs ? reprit M. Gillenormand.

— Moins quatorze ou quinze mille francs peut-être, dit Jean Valjean.

Et il posa sur la table le paquet que la tante Gillenormand avait pris pour un livre.

Jean Valjean ouvrit lui-même le paquet ; c'était une liasse de billets de banque.

Quant à Marius et à Cosette, ils se regardaient pendant ce temps-là ; ils firent à peine attention à ce détail.

12

Préparatifs

On prépara tout pour le mariage. Le médecin consulté déclara qu'il pourrait avoir lieu en février. On était en décembre. Quelques ravissantes semaines de bonheur parfait s'écoulèrent.

Jean Valjean fit tout, aplanit tout, concilia tout, rendit tout facile. Il se hâtait vers le bonheur de Cosette avec autant d'empressement, et, en apparence, de joie, que Cosette elle-même.

L'enchantement, si grand qu'il fût, n'effaça point dans l'esprit de Marius d'autres préoccupations.

Pendant que le mariage s'apprêtait et en attendant l'époque fixée, il fit faire de difficiles et scrupuleuses recherches rétrospectives.

Il devait de la reconnaissance de plusieurs côtés ; il en devait pour son père, il en devait pour lui-même.

Il y avait Thénardier ; il y avait l'inconnu qui l'avait rapporté, lui Marius, chez M. Gillenormand.

Marius tenait à retrouver ces deux hommes, n'entendant point se marier, être heureux, et les oublier.

Que Thénardier fût un scélérat, cela n'ôtait rien à ce fait qu'il avait sauvé le colonel Pontmercy. Thénardier était un bandit pour tout le monde, excepté pour Marius.

Aucun des divers agents que Marius employa ne parvint à saisir la piste de Thénardier. L'effacement semblait complet de ce côté-là. La Thénardier était morte en prison pendant l'instruction du procès. Thénardier et sa fille Azelma, les deux seuls qui restassent de ce groupe lamentable, avaient replongé dans l'ombre.

Quant à l'autre, quant à l'homme ignoré qui avait sauvé Marius, les recherches eurent d'abord quelque résultat, puis s'arrêtèrent court.

Marius ne se rappelait rien. Il se souvenait seulement d'avoir été saisi en arrière par une main énergique au moment où il tombait à la renverse dans la barricade ; puis tout s'effaçait pour lui. Il n'avait repris connaissance que chez M. Gillenormand.

Comment se faisait-il pourtant que, tombé rue de la Chanvrerie, il eût été ramassé par l'agent de police sur la berge de la Seine, près du pont des Invalides ? Quelqu'un l'avait emporté du quartier des Halles aux Champs-Élysées. Et comment ? par l'égout. Dévouement inouï !

Quelqu'un ? qui ?

C'était cet homme que Marius cherchait.

De cet homme, qui était son sauveur, rien ; nulle trace ; pas le moindre indice.

Dans l'espoir d'en tirer parti pour ses recherches, Marius fit conserver les vêtements ensanglantés qu'il avait sur le corps, lorsqu'on l'avait ramené chez son aïeul. En examinant l'habit, on remarqua qu'un pan était bizarrement déchiré. Un morceau manquait.

Un soir, Marius parlait, devant Cosette et Jean Valjean, de toute cette singulière aventure, des informations sans nombre qu'il avait prises et de l'inutilité de ses efforts. Le visage froid de « M. Fauchelevent » l'impatientait. Il s'écria avec une vivacité qui avait presque la vibration de la colère :

— Oui, cet homme-là, quel qu'il soit, a été sublime. Savez-vous ce qu'il a fait, monsieur ? Il est intervenu comme l'archange[192]. Il a fallu qu'il se jetât au milieu du combat, qu'il me dérobât, qu'il ouvrît l'égout, qu'il m'y traînât, qu'il m'y portât ! Il a fallu qu'il fît plus d'une lieue et demie dans d'affreuses galeries souterraines, courbé, ployé, dans les ténèbres, dans le cloaque[193], plus d'une lieue et demie, monsieur, avec un cadavre sur le dos ! Et dans quel but ? Dans l'unique but de sauver ce cadavre. Et ce cadavre, c'était moi. Qu'étais-je ? Un insurgé. Qu'étais-je ? Un vaincu. Oh ! si les six cent mille francs de Cosette étaient à moi...

— Ils sont à vous, interrompit Jean Valjean.

— Eh bien, reprit Marius, je les donnerais pour retrouver cet homme !

Jean Valjean garda le silence.

Le mariage de Marius et Cosette se fit donc, chez M. Gillenormand, le 16 février 1833.

192. Ange d'un ordre supérieur.
193. Égout.

13

Le jour des noces

Un banquet avait été dressé dans la salle à manger. Dans l'antichambre trois violons et une flûte jouaient en sourdine des quatuors de Haydn.

Jean Valjean s'était assis sur une chaise dans le salon, derrière la porte, dont le battant se repliait sur lui de façon à le cacher presque. Quelques jours auparavant, il s'était un peu écrasé le pouce de la main droite, et bien qu'obligé de porter le bras en écharpe, il ne tenait pas à ce que quelqu'un se préoccupât de sa blessure. Quelques instants avant qu'on se mît à table, Cosette vint, comme par coup de tête, lui faire une grande révérence en étalant de ses deux mains sa toilette de mariée, et, avec un regard tendrement espiègle, elle lui demanda :

— Père, êtes-vous content ?

— Oui, dit Jean Valjean, je suis content.

— Eh bien, riez alors.

Jean Valjean se mit à rire.

Quelques instants après, Basque annonça que le dîner était servi.

Les convives, précédés de M. Gillenormand donnant le bras à Cosette, entrèrent dans la salle à manger, et se répandirent, selon l'ordre voulu, autour de la table.

Deux grands fauteuils y figuraient, à droite et à gauche de la mariée, le premier pour M. Gillenormand, le second pour Jean Valjean. M. Gillenormand s'assit. L'autre fauteuil resta vide.

On chercha des yeux « M. Fauchelevent ».

Il n'était plus là.

M. Gillenormand interpella Basque.

— Sais-tu où est M. Fauchelevent ?

— Monsieur, répondit Basque. Précisément. M. Fauchelevent m'a dit de dire à monsieur qu'il souffrait un peu de sa main et qu'il ne pourrait dîner avec M. le baron et Mme la baronne. Qu'il priait qu'on l'excusât, qu'il viendrait demain matin. Il vient de sortir.

La soirée fut vive, gaie, aimable. La belle humeur souveraine du grand-père donna l'ut à toute la fête, et chacun se régla sur cette cordialité presque centenaire. On dansa un peu, on rit beaucoup ; ce fut une noce bon enfant.

Immédiatement après avoir ri, sur la gentille injonction de Cosette, personne ne faisant attention à lui, Jean Valjean s'était levé, et, inaperçu, il avait gagné l'antichambre. Basque disposait des couronnes de roses autour de chacun des plats qu'on allait servir. Jean Valjean lui avait montré son bras en écharpe, l'avait chargé d'expliquer son absence, et était sorti.

Jean Valjean rentra chez lui. Il alluma sa chandelle et monta. L'appartement était vide. Puis il se retrouva dans sa chambre, et il posa sa chandelle sur une table.

Il avait dégagé son bras de l'écharpe, et il se servait de sa main droite comme s'il n'en souffrait pas.

Il s'approcha de son lit, et ses yeux s'arrêtèrent, fut-ce par hasard ? fut-ce avec intention ? sur la petite malle qui ne le quittait jamais. Il en tira lentement les vêtements avec lesquels, dix ans auparavant, Cosette avait quitté Montfermeil ; d'abord la petite robe noire, puis le fichu noir, puis les bons gros souliers d'enfant que Cosette aurait presque pu mettre encore, tant elle avait le pied petit, puis la brassière de futaine bien épaisse, puis le jupon de tricot, puis le tablier à poche, puis les bas de laine. Tout cela était de couleur noire. C'était lui qui avait apporté ces vêtements pour elle à Montfermeil. À mesure qu'il les ôtait de la valise, il les posait sur le lit. Il pensait. Il se rappelait.

Alors sa vénérable tête blanche tomba sur le lit, ce vieux cœur stoïque[194] se brisa, sa face s'abîma pour ainsi dire dans les vêtements de Cosette, et si quelqu'un eût passé dans l'escalier en ce moment, on eût entendu d'effrayants sanglots.

---

194. Qui ne laisse pas voir ses sentiments.

14

La confession de Jean Valjean

Le matin du 17 février, il était un peu plus de midi quand Basque, la serviette et le plumeau sous le bras, occupé « à faire son antichambre », entendit un léger frappement à la porte. Basque ouvrit et vit M. Fauchelevent. Il l'introduisit dans le salon.

— Votre maître est-il levé ? demanda Jean Valjean.

— Lequel ? l'ancien ou le nouveau ?

— M. Pontmercy.

— Je vais voir. Je vais lui dire que M. Fauchelevent est là.

— Non. Ne lui dites pas que c'est moi. Dites-lui que quelqu'un demande à lui parler en particulier, et ne lui dites pas de nom.

— Ah ! fit Basque.

— Je veux lui faire une surprise.

— Ah ! reprit Basque, se donnant à lui-même son second Ah ! comme explication du premier.

Et il sortit.

Jean Valjean resta seul.

Quelques minutes s'écoulèrent. Jean Valjean était immobile à l'endroit où Basque l'avait quitté. Il était très pâle.

Un bruit se fit à la porte, il leva les yeux.

Marius entra.

— C'est vous, père ! s'écria-t-il en apercevant Jean Valjean. Que je suis content de vous voir ! Si vous saviez comme vous nous avez manqué hier ! Bonjour, père. Comment va votre main ? Nous avons bien parlé de vous tous les deux. Cosette vous aime tant ! Vous n'oublierez pas que vous avez votre chambre ici. Nous ne voulons plus de la rue de l'Homme-Armé. Vous viendrez vous installer ici. Et dès aujourd'hui. Ou vous aurez affaire à Cosette. Elle entend nous mener tous par le bout du nez, je vous en préviens. Votre chambre est en plein midi. Cosette vous y rangera vos livres.

— Monsieur, dit Jean Valjean, j'ai une chose à vous dire. Je suis un ancien forçat.

Marius bégaya.

— Qu'est-ce que cela veut dire ?

— Cela veut dire, répondit Jean Valjean, que j'ai été aux galères.

— Vous me rendez fou ! s'écria Marius épouvanté.

— Monsieur Pontmercy, dit Jean Valjean, j'ai été dix-neuf ans aux galères. Pour vol. Pour récidive. À l'heure qu'il est, je suis en rupture de ban.

Marius avait beau reculer devant la réalité, refuser le fait, résister à l'évidence, il fallait s'y rendre.

— Dites tout, dites tout ! cria-t-il. Vous êtes le père de Cosette !

Jean Valjean redressa la tête puis, avec une sorte d'autorité souveraine, il ajouta en articulant lentement :

— ... Vous me croirez. Le père de Cosette, moi ! devant
Dieu, non. Monsieur le baron Pontmercy, je suis un paysan
de Faverolles. Je gagnais ma vie à émonder des arbres. Je
ne m'appelle pas Fauchelevent, je m'appelle Jean Valjean.
Je ne suis rien à Cosette. Rassurez-vous.

Marius balbutia :

— Qui me prouve ? ...

— Moi. Puisque je le dis.

Marius regarda cet homme. Il était lugubre et tranquille.
Aucun mensonge ne pouvait sortir d'un tel calme.

— Je vous crois, dit Marius.

Jean Valjean inclina la tête comme pour prendre acte, et
continua :

— Que suis-je pour Cosette ? Un passant. Je l'aime,
c'est vrai. Une enfant qu'on a vue petite, étant soi-même
déjà vieux, on l'aime. Vous pouvez, ce me semble, suppo-
ser que j'ai quelque chose qui ressemble à un cœur. Elle
était orpheline. Sans père ni mère. Elle avait besoin de moi.
Voilà pourquoi je me suis mis à l'aimer. C'est si faible les
enfants, que le premier venu, même un homme comme
moi, peut être leur protecteur. J'ai fait ce devoir-là vis-à-vis
de Cosette. Je ne crois pas qu'on puisse vraiment appeler
si peu de chose une bonne action ; mais si c'est une bonne
action, eh bien, mettez que je l'ai faite. Enregistrez cette
circonstance atténuante. Aujourd'hui Cosette quitte ma
vie ; nos deux chemins se séparent. Désormais je ne puis
plus rien pour elle. Elle est Mme Pontmercy. Sa providence
a changé, et Cosette gagne au change. Tout est bien. Je
tiens, moi, à ce que vous sachiez qui je suis.

Et Jean Valjean regarda Marius en face.

Tout ce qu'éprouvait Marius était tumultueux et inco-
hérent.

— Mais enfin, s'écria-t-il, pourquoi me dites-vous tout cela ? Qu'est-ce qui vous y force ? Vous pouviez vous garder le secret à vous-même. Vous n'êtes ni dénoncé, ni poursuivi, ni traqué.

— Pour quel motif ? répondit Jean Valjean d'une voix si basse et si sourde qu'on eût dit que c'était à lui-même qu'il parlait plus qu'à Marius. Pour quel motif, en effet, ce forçat vient-il dire : Je suis un forçat ? Eh bien oui ! le motif est étrange. C'est par honnêteté. Vous me demandez ce qui me force à parler ? une drôle de chose, ma conscience. Me taire, c'était pourtant bien facile. J'ai passé la nuit à tâcher de me le persuader ; mais il y a deux choses où je n'ai pas réussi ; ni à casser le fil qui me tient par le cœur fixé, rivé et scellé ici, ni à faire taire quelqu'un qui me parle bas quand je suis seul. C'est pourquoi je suis venu vous avouer tout ce matin. Continuer d'être M. Fauchelevent, cela arrangeait tout. Oui, excepté mon âme.

Marius s'était levé avec un frémissement.

— Pauvre Cosette ! murmura-t-il, quand elle va savoir...

À ce mot, Jean Valjean trembla de tous ses membres. Il fixa sur Marius un œil égaré.

— Cosette ! oh oui, c'est vrai, vous allez dire cela à Cosette. C'est juste. Tiens, je n'y avais pas pensé. Monsieur, je vous en conjure, je vous en supplie, monsieur, donnez-moi votre parole la plus sacrée, ne le lui dites pas. Est-ce qu'il ne suffit pas que vous le sachiez, vous ? J'ai pu le dire de moi-même sans y être forcé, je l'aurais dit à l'univers, à tout le monde, ça m'était égal. Mais elle, elle ne sait pas ce que c'est, cela l'épouvanterait. Un forçat, quoi ! on serait forcé de lui expliquer, de lui dire : C'est un homme qui a été aux galères. Oh mon Dieu !

Il s'affaissa sur un fauteuil et cacha son visage dans ses deux mains. On ne l'entendait pas, mais aux secousses de ses épaules, on voyait qu'il pleurait. Pleurs silencieux, pleurs terribles.

— Soyez tranquille, dit Marius, je garderai votre secret pour moi seul.

— Je vous remercie, monsieur, répondit Jean Valjean avec douceur.

Jean Valjean eut comme une suprême hésitation, et, sans voix, presque sans souffle, il balbutia plus qu'il ne dit :

— À présent que vous savez, croyez-vous, monsieur, vous qui êtes le maître, que je ne dois plus voir Cosette ?

— Je crois que ce serait mieux, répondit froidement Marius.

— Je ne la verrai plus, murmura Jean Valjean.

Et il se dirigea vers la porte.

15

Un vieil homme qui s'éteint

Pendant les derniers mois du printemps et les premiers mois de l'été de 1833, les passants clairsemés du Marais remarquaient un vieillard proprement vêtu de noir, qui, tous les jours, vers la même heure, à la nuit tombante, sortait de la rue de l'Homme-Armé, du côté de la rue Sainte-Croix-de-la-Bretonnerie, passait devant les Blancs-Manteaux, gagnait la rue Culture-Sainte-Catherine, et, arrivé à la rue de l'Écharpe, tournait à gauche, et entrait dans la rue Saint-Louis.

Là il marchait à pas lents, la tête tendue en avant, ne voyant rien, n'entendant rien, l'œil immuablement fixé sur un point toujours le même, qui semblait pour lui étoilé, et qui n'était autre que l'angle de la rue des Filles-du-Calvaire. Plus il approchait de ce coin de rue, plus son œil s'éclairait ; alors il s'arrêtait, il tremblait, il passait sa tête avec une sorte de timidité sombre au-delà du coin de la dernière maison, et il regardait dans cette rue, et il y avait dans ce tragique regard quelque chose qui ressemblait à l'éblouissement de l'impossible et à la réverbération d'un paradis fermé. Il restait ainsi quelques minutes comme s'il eût été de pierre ; puis il s'en retournait par le même chemin et du même pas, et, à mesure qu'il s'éloignait, son regard s'éteignait.

Un jour Jean Valjean descendit sur son escalier, fit trois pas dans la rue, s'assit sur une borne, sur cette même borne où Gavroche, dans la nuit du 5 au 6 juin, l'avait trouvé songeant ; il resta là quelques minutes, puis remonta. Ce fut la dernière oscillation du pendule. Le lendemain, il ne sortit pas de chez lui. Le surlendemain, il ne sortit pas de son lit.

Du temps qu'il sortait encore, il avait acheté à un chaudronnier pour quelques sous un petit crucifix de cuivre qu'il avait accroché à un clou en face de son lit. Ce gibet-là est toujours bon à voir.

Un soir Jean Valjean eut de la peine à se soulever sur le coude ; il se prit la main et ne trouva pas son pouls ; sa respiration était courte et s'arrêtait par instants ; il reconnut qu'il était plus faible qu'il ne l'avait encore été. Alors, sans doute la pression de quelque préoccupation suprême, il fit un effort, se dressa sur son séant et s'habilla. Il mit son vieux vêtement d'ouvrier. Ne sortant plus, il y était revenu, et il le préférait. Il dut s'interrompre plusieurs fois en s'habillant ; rien que pour passer les manches de la veste, la sueur lui coulait du front.

Chaque pas qu'il faisait en allant d'un meuble à l'autre l'exténuait, et il était obligé de s'asseoir.

Une des chaises où il se laissa tomber était placée devant le miroir, si fatal pour lui, si providentiel pour Marius, où il avait lu sur le buvard l'écriture renversée de Cosette. Il se vit dans ce miroir, et ne se reconnut pas. Il avait quatre-vingts ans ; avant le mariage de Marius, on lui eût à peine donné cinquante ans ; cette année avait compté trente. Ce qu'il avait sur le front, ce n'était plus la ride de l'âge, c'était la marque mystérieuse de la mort.

La nuit était venue. Il traîna laborieusement une table et le vieux fauteuil près de la cheminée, et posa sur la table une plume, de l'encre et du papier.

Sa main tremblait. Il écrivit lentement quelques lignes que voici :

« Cosette, je te bénis. Je vais t'expliquer. Ton mari a eu raison de me faire comprendre que je devais m'en aller ; cependant il y a un peu d'erreur dans ce qu'il a cru, mais il a eu raison. Il est excellent. Aime-le toujours bien quand je serai mort. Monsieur Pontmercy, aimez toujours mon enfant bien-aimé... »

Ici il s'interrompit, la plume tomba de ses doigts, il lui vint un de ces sanglots désespérés qui montaient par moments des profondeurs de son être, le pauvre homme prit sa tête dans ses deux mains.

En ce moment on frappa à sa porte.

16

Le secret de Thénardier

Ce même jour, ou, pour mieux dire, ce même soir, comme Marius sortait de table et venait de se retirer dans son cabinet, ayant un dossier à étudier, Basque lui avait remis une lettre en disant :

— La personne qui a écrit la lettre est dans l'antichambre.

Marius la prit. Elle sentait le tabac. Rien n'éveille un souvenir comme une odeur. Marius reconnut ce tabac. Il regarda la suscription : *À monsieur, monsieur le baron Pommerci. En son hôtel.* Le tabac reconnu lui fit reconnaître l'écriture. On pourrait dire que l'étonnement a des éclairs. Marius fut comme illuminé d'un de ces éclairs-là.

Il décacheta avidement la lettre, et il lut :

Monsieur le baron,

Si l'Être Suprême m'en avait donné les talents, j'aurais pu être le baron Thénard, membre de l'institut (académie des sciences), mais je ne le suis pas. Je porte seulement le même nom que lui, heureux si ce souvenir me recommande à l'excellence de vos bontés. Le bienfait dont vous m'honorerez sera réciproque. Je suis en possession d'un secret concernant un individu. Cet individu vous concerne. Je tiens le secret à votre disposition désirant avoir l'honneur de vous être utile. Je vous donnerai le moyen simple de chasser de votre honorable famille cet individu qui n'y a pas droit, madame la baronne étant de haute naissance. Le sanctuaire de la vertu ne pourrait cohabiter plus longtemps avec le crime sans abdiquer. J'attends dans l'antichambre les ordres de monsieur le baron.

Avec respect.

La lettre était signée « THÉNARD ».

Cette signature n'était pas fausse. Elle était seulement un peu abrégée.

L'émotion de Marius fut profonde. Après le mouvement de surprise, il eut un mouvement de bonheur. Qu'il trouvât maintenant l'autre homme qu'il cherchait, celui qui l'avait sauvé lui Marius, et il n'aurait plus rien à souhaiter.

Il ouvrit un tiroir de son secrétaire, y prit quelques billets de banque, les mit dans sa poche, referma le secrétaire et sonna. Basque entrebâilla la porte.

— Faites entrer, dit Marius.

Basque annonça :

— M. Thénard.

Un homme entra.

Nouvelle surprise pour Marius. L'homme qui entra lui était parfaitement inconnu.

Le désappointement de Marius, en voyant entrer un homme autre que celui qu'il attendait, tourna en disgrâce pour le nouveau venu. Il l'examina des pieds à la tête, pendant que le personnage s'inclinait démesurément, et lui demanda d'un ton bref :

— Que voulez-vous ?

L'homme répondit avec un rictus aimable dont le sourire caressant d'un crocodile donnerait quelque idée :

— Voici, monsieur le baron. Je suis un ancien diplomate fatigué. La vieille civilisation m'a mis sur les dents. Je veux essayer des sauvages.

— En quoi cela me regarde-t-il ? demanda Marius.

L'inconnu tendit le cou hors de sa cravate, geste propre au vautour, et répliqua avec un redoublement de sourire :

— Est-ce que monsieur le baron n'a pas lu ma lettre ?

Cela était à peu près vrai. Le fait est que le contenu de l'épître avait glissé sur Marius. Il avait vu l'écriture plus qu'il n'avait lu la lettre. Il s'en souvenait à peine. Depuis un moment un nouvel éveil venait de lui être donné. Il attachait sur l'inconnu un œil pénétrant. Un juge d'instruction n'eût pas mieux regardé. Il le guettait presque. Il se borna à lui répondre :

— Précisez.

L'inconnu inséra ses deux mains dans ses deux goussets, releva sa tête sans redresser son épine dorsale, mais en scrutant de son côté Marius avec le regard vert de ses lunettes.

— Soit, monsieur le baron. Je précise. J'ai un secret à vendre.

— Un secret ?

— Je commence gratis[195], dit l'inconnu. Vous allez voir que je suis intéressant.

— Parlez.

_____

195. Sans demander d'argent.

— Monsieur le baron, vous avez chez vous un voleur et un assassin. Cet homme s'est glissé dans votre confiance, et presque dans votre famille, sous un faux nom. Je vais vous dire son vrai nom.

Marius tressaillit.

— J'écoute.

— Il s'appelle Jean Valjean.

— Je le sais.

— Je vais vous dire, également pour rien, qui il est.

— Dites.

— C'est un ancien forçat.

Marius le regarda fixement :

— Je sais votre secret extraordinaire ; de même que je savais le nom de Jean Valjean, de même que je sais votre nom.

— Mon nom ? Ce n'est pas difficile, monsieur le baron. J'ai eu l'honneur de vous l'écrire et de vous le dire. Thénard.

— Dier.

— Hein ?

— Thénardier.

— Qui ça ?

Dans le danger, le porc-épic se hérisse, le scarabée fait le mort, la vieille garde se forme en carré ; cet homme se mit à rire.

Puis il épousseta d'une chiquenaude un grain de poussière sur la manche de son habit.

Marius continua :

— Vous êtes aussi l'ouvrier Jondrette. Et vous avez tenu une gargote à Montfermeil.

— Une gargote ! Jamais.

— Et je vous dis que vous êtes Thénardier. Et que vous êtes un gueux. Tenez.

Et Marius, tirant de sa poche un billet de banque, le lui jeta à la face.

— Merci ! pardon ! cinq cents francs ! monsieur le baron !

Et l'homme, bouleversé, saluant, saisissant le billet, l'examina.

— Cinq cents francs ! reprit-il, ébahi. Et il bégaya à demi-voix : Un fafiot[196] sérieux !

Puis brusquement :

— Eh bien, soit, s'écria-t-il. Mettons-nous à notre aise.

Et, avec une prestesse de singe, rejetant ses cheveux en arrière, arrachant ses lunettes, il ôta son visage comme on ôte son chapeau.

— M. le baron est infaillible, dit-il d'une voix nette et d'où avait disparu tout nasillement, je suis Thénardier.

Et il redressa son dos voûté.

Thénardier, car c'était bien lui, était étrangement surpris ; il eût été troublé s'il avait pu l'être. Il était venu apporter de l'étonnement, et c'était lui qui en recevait. Cette humiliation lui était payée cinq cents francs, et, à tout prendre, il l'acceptait ; mais il n'en était pas moins abasourdi.

Marius rompit le silence.

— Thénardier, je vous ai dit votre nom. À présent, votre secret, ce que vous veniez m'apprendre, voulez-vous que je vous le dise ? J'ai mes informations aussi, moi. Vous allez voir que j'en sais plus long que vous. Jean Valjean, comme vous l'avez dit, est un assassin et un voleur. Un voleur, parce qu'il a volé un riche manufacturier dont il a causé

---

196. Billet de banque.

la ruine. M. Madeleine. Un assassin, parce qu'il a assassiné l'agent de police Javert.

— Monsieur le baron, nous faisons fausse route.

— Quoi ! repartit Marius, contestez-vous cela ? Ce sont des faits.

— Ce sont des chimères[197]. La confiance dont M. le baron m'honore me fait un devoir de le lui dire. Avant tout la vérité et la justice. Je n'aime pas voir accuser les gens injustement. Monsieur le baron, Jean Valjean n'a point volé M. Madeleine, et Jean Valjean n'a point tué Javert.

— Voilà qui est fort ! comment cela ?

— Pour deux raisons.

— Lesquelles ? parlez.

— Voici la première : il n'a pas volé M. Madeleine, attendu que c'est lui-même Jean Valjean qui est M. Madeleine.

— Que me contez-vous là ?

— Et voici la seconde : il n'a pas assassiné Javert, attendu que celui qui a tué Javert, c'est Javert.

— Que voulez-vous dire ?

— Que Javert s'est suicidé.

— Prouvez ! prouvez ! cria Marius hors de lui.

Thénardier tira de sa poche de côté une large enveloppe de papier gris qui semblait contenir des feuilles pliées de diverses grandeurs.

— J'ai mon dossier, dit-il avec calme.

Et il ajouta :

— Monsieur le baron, dans votre intérêt, j'ai voulu connaître à fond Jean Valjean. Je dis que Jean Valjean et Madeleine, c'est le même homme, et je dis que Javert n'a eu d'autre assassin que Javert, et quand je parle, c'est que

_____

197. Inventions.

j'ai des preuves. Non des preuves manuscrites, l'écriture est suspecte, l'écriture est complaisante, mais des preuves imprimées.

Tout en parlant, Thénardier extrayait de l'enveloppe deux numéros de journaux jaunis, fanés et fortement saturés de tabac.

En effet, un numéro du *Drapeau blanc*, du 25 juillet 1823, établissait l'identité de M. Madeleine et de Jean Valjean. L'autre, un *Moniteur* du 15 juin 1832, constatait le suicide de Javert, ajoutant qu'il résultait d'un rapport verbal de Javert au préfet que, fait prisonnier dans la barricade de la rue de la Chanvrerie, il avait dû la vie à la magnanimité d'un insurgé qui, le tenant sous son pistolet, au lieu de lui brûler la cervelle, avait tiré en l'air.

Marius lut. Il y avait évidence, date certaine, preuve irréfragable[198]. Jean Valjean, grandi brusquement, sortait du nuage. Marius ne put retenir un cri de joie :

— Eh bien alors, ce malheureux est un admirable homme ! toute cette fortune était vraiment à lui ; c'est Madeleine, la providence de tout un pays ! c'est Jean Valjean, le sauveur de Javert ! c'est un héros ! c'est un saint !

— Ce n'est pas un saint, et ce n'est pas un héros, dit Thénardier. C'est un assassin et un voleur.

Voleur, assassin, ces mots que Marius croyait disparus, et qui revenaient, tombèrent sur lui comme une douche de glace.

— Je dis assassinat et vol, monsieur le baron. Et je répète que je parle de faits actuels. Ce que j'ai à vous révéler est absolument inconnu. C'est de l'inédit. Monsieur le baron, je vais dire tout, laissant la récompense à votre générosité. Monsieur le baron, le 6 juin 1832, il y a un an environ, le

_____

198. Incontestable.

jour de l'émeute, un homme était dans le Grand Égout de Paris, du côté où l'égout vient rejoindre la Seine, entre le pont des Invalides et le pont d'Iéna. Cet homme, forcé de se cacher, pour des raisons du reste étrangères à la politique, avait pris l'égout pour domicile et en avait une clef. C'était, je le répète, le 6 juin ; il pouvait être huit heures du soir. L'homme entendit du bruit dans l'égout. Très surpris, il se blottit et guetta. C'était un bruit de pas, on marchait dans l'ombre, on venait de son côté. Chose étrange, il y avait dans l'égout un autre homme que lui. La grille de sortie de l'égout n'était pas loin. Un peu de lumière qui en venait lui permit de reconnaître le nouveau venu et de voir que cet homme portait quelque chose sur son dos. Il marchait courbé. L'homme qui marchait courbé était un ancien forçat, et ce qu'il traînait sur ses épaules était un cadavre. Monsieur le baron, un égout n'est pas le Champ de Mars. On y manque de tout, et même de place. Quand deux hommes sont là, il faut qu'ils se rencontrent. C'est ce qui arriva. Le domicilié et le passant furent forcés de se dire bonjour, à regret l'un et l'autre. Le passant dit au domicilié : – *Tu vois ce que j'ai sur le dos, il faut que je sorte, tu as la clef, donne-la-moi.* Ce forçat était un homme d'une force terrible. Il n'y avait pas à refuser. Pourtant celui qui avait la clef parlementa, uniquement pour gagner du temps. Il examina ce mort, mais il ne put rien voir, sinon qu'il était jeune, bien mis, l'air d'un riche, et tout défiguré par le sang. Tout en causant, il trouva moyen de déchirer et d'arracher par-derrière, sans que l'assassin s'en aperçût, un morceau de l'habit de l'homme assassiné. Pièce à conviction, vous comprenez ; moyen de ressaisir la trace des choses et de prouver le crime au criminel. Il mit la pièce à conviction dans sa poche. Après quoi il ouvrit la grille, fit sortir l'homme avec son embarras sur le dos, referma la grille et se sauva, ne voulant pas être là quand l'assassin jetterait l'assassiné à la rivière. Vous comprenez à présent. Celui qui portait le cadavre, c'est Jean Valjean ; celui qui avait la clef vous parle en ce moment ; et le morceau de l'habit...

Thénardier acheva la phrase en tirant de sa poche et en tenant, à la hauteur de ses yeux, pincé entre ses deux pouces et ses deux index, un lambeau de drap noir déchiqueté, tout couvert de taches sombres.

Marius s'était levé, pâle, respirant à peine, l'œil fixé sur le morceau de drap noir, et, sans prononcer une parole, sans quitter ce haillon du regard, il reculait vers le mur et, de sa main droite étendue derrière lui, cherchait en tâtonnant sur la muraille une clef qui était à la serrure d'un placard près de la cheminée. Il trouva cette clef, ouvrit le placard, et y enfonça son bras sans y regarder, et sans que sa prunelle effarée se détachât du chiffon que Thénardier tenait déployé.

Cependant Thénardier continuait :

— Monsieur le baron, j'ai les plus fortes raisons de croire que le jeune homme assassiné était un opulent étranger attiré par Jean Valjean dans un piège et porteur d'une somme énorme.

— Le jeune homme était moi, et voici l'habit ! cria Marius, et il jeta sur le parquet un vieil habit noir tout sanglant.

Puis, arrachant le morceau des mains de Thénardier, il s'accroupit sur l'habit, et rapprocha du pan déchiqueté le morceau déchiré. La déchirure s'adaptait exactement, et le lambeau complétait l'habit.

Thénardier était pétrifié. Il pensa ceci : Je suis épaté.

Marius se redressa frémissant, désespéré, rayonnant.

Il fouilla dans sa poche, et marcha, furieux, vers Thénardier, lui présentant et lui appuyant presque sur le visage son poing rempli de billets de cinq cents francs et de mille francs.

— Vous êtes un infâme ! vous êtes un menteur, un calomniateur, un scélérat. Vous veniez accuser cet homme, vous l'avez justifié ; vous vouliez le perdre, vous n'avez réussi qu'à le glorifier. Et c'est vous qui êtes un voleur ! Et c'est vous qui êtes un assassin ! Je vous ai vu, Thénardier Jondrette, dans ce bouge du boulevard de l'Hôpital. J'en sais assez sur vous pour vous envoyer au bagne, et plus loin même, si je voulais. Tenez, voilà mille francs, sacripant que vous êtes !

Et il jeta un billet de mille francs à Thénardier.

— Ah ! Jondrette Thénardier, vil coquin ! que ceci vous serve de leçon, brocanteur de secrets, marchand de mystères, fouilleur de ténèbres, misérable ! Prenez ces cinq cents francs, et sortez d'ici ! Waterloo vous protège.

— Waterloo ! grommela Thénardier, en empochant les cinq cents francs avec les mille francs.

— Oui, assassin ! vous y avez sauvé la vie à un colonel...

— À un général, dit Thénardier, en relevant la tête.

— À un colonel ! reprit Marius avec emportement. Partez ! disparaissez ! Ah ! monstre ! Voilà encore trois mille francs. Prenez-les. Vous partirez dès demain, pour l'Amérique. Je veillerai à votre départ, bandit, et je vous compterai à ce moment-là vingt mille francs. Allez vous faire pendre ailleurs !

— Monsieur le baron, répondit Thénardier en saluant jusqu'à terre, reconnaissance éternelle.

Et Thénardier sortit, n'y concevant rien, stupéfait et ravi de cette foudre éclatant sur sa tête en billets de banque.

Dès que Thénardier fut dehors, Marius courut au jardin où Cosette se promenait encore.

— Cosette ! Cosette ! cria-t-il. Viens ! viens vite. Partons. Basque, un fiacre ! Cosette, viens. Ah ! mon Dieu ! C'est lui qui m'avait sauvé la vie ! Ne perdons pas une minute ! Mets ton châle.

Cosette le crut fou, et obéit.

En un instant, un fiacre fut devant la porte.

Marius y fit monter Cosette et s'y élança.

— Cocher, dit-il, rue de l'Homme-Armé, numéro 7.

Le fiacre partit.

— Ah ! quel bonheur ! fit Cosette, rue de l'Homme-Armé. Je n'osais plus t'en parler.

— Cosette ! Ah ! je suis un monstrueux ingrat. Cosette, après avoir été ta providence, il a été la mienne. Nous allons le ramener, le prendre avec nous, qu'il le veuille ou non, il ne nous quittera plus. Pourvu qu'il soit chez lui ! Pourvu que nous le trouvions ! Je passerai le reste de ma vie à le vénérer.

17

À la nuit succédera le jour

Au coup qu'il entendit frapper à sa porte, Jean Valjean se retourna.

— Entrez, dit-il faiblement.

La porte s'ouvrit. Cosette et Marius parurent.

Cosette se précipita dans la chambre.

Marius resta sur le seuil, debout, appuyé contre le montant de la porte.

— Cosette ! dit Jean Valjean, et il se dressa sur sa chaise, les bras ouverts et tremblants, hagard, livide, sinistre, une joie immense dans les yeux.

Cosette, suffoquée d'émotion, tomba sur la poitrine de Jean Valjean.

— Père ! dit-elle.

Jean Valjean, bouleversé, bégayait :

— Cosette !

Et, serré dans les bras de Cosette, il s'écria :

— C'est toi ! tu es là ! Tu me pardonnes donc !

Marius, baissant les paupières pour empêcher ses larmes de couler, fit un pas et murmura entre ses lèvres contractées convulsivement pour arrêter les sanglots :

— Mon père !

— Et vous aussi, vous me pardonnez ! dit Jean Valjean.

Cosette arracha son châle et jeta son chapeau sur le lit. Et, s'asseyant sur les genoux du vieillard, elle écarta ses cheveux blancs d'un mouvement adorable, et lui baisa le front.

Jean Valjean se laissait faire, égaré.

Brusquement tout ce qui se gonflait dans le cœur de Marius trouva une issue, il éclata :

— Cosette, entends-tu ? il en est là ! il me demande pardon. Et sais-tu ce qu'il m'a fait, Cosette ? il m'a sauvé la vie. Il a fait plus. Il t'a donnée à moi. Et après m'avoir sauvé, et après t'avoir donnée à moi, Cosette, qu'a-t-il fait de lui-même ? il s'est sacrifié. Voilà l'homme. Et, à moi l'ingrat, à moi l'oublieux, à moi l'impitoyable, à moi le coupable, il me dit : Merci ! Cosette, toute ma vie passée aux pieds de cet homme, ce sera trop peu. Cette barricade, cet égout, cette fournaise, ce cloaque, il a tout traversé pour moi, pour toi, Cosette ! Il m'a emporté à travers toutes les morts qu'il écartait de moi et qu'il acceptait pour lui. Tous les courages, toutes les vertus, tous les héroïsmes, toutes les saintetés, il les a ! Cosette, cet homme-là, c'est l'ange ! Ah ! mon Dieu ! quand je pense que c'est par hasard que j'ai appris tout cela ! Nous vous emmenons. Vous faites partie de nous-mêmes. Vous êtes son père et le mien. Vous ne passerez pas dans cette affreuse maison un jour de plus. Ne vous figurez pas que vous serez demain ici.

— Demain, dit Jean Valjean, je ne serai pas ici, mais je ne serai pas chez vous.

— Que voulez-vous dire ? répliqua Marius.

— Je vais mourir tout à l'heure.

Cosette poussa un cri déchirant.

Jean Valjean, presque sans cesser de regarder Cosette, considéra Marius avec sérénité. On entendit sortir de sa bouche cette parole à peine articulée :

— Ce n'est rien de mourir ; c'est affreux de ne pas vivre.

D'instant en instant, Jean Valjean déclinait. Son souffle était devenu intermittent ; un peu de râle l'entrecoupait. Toute la majesté de l'âme montait et se déployait sur son front. La lumière du monde inconnu était déjà visible dans sa prunelle.

Puis il fit signe à Cosette d'approcher, puis à Marius ; et il se mit à leur parler d'une voix si faible qu'elle semblait venir de loin.

— Mes enfants, voici que je ne vois plus très clair. Pensez un peu à moi. Vous êtes des êtres bénis. Je ne sais pas ce que j'ai, je vois de la lumière. Approchez encore. Je meurs heureux. Donnez-moi vos chères têtes bien-aimées, que je mette mes mains dessus.

Cosette et Marius tombèrent à genoux, éperdus, étouffés de larmes, chacun sur une des mains de Jean Valjean. Ces mains augustes ne remuaient plus.

Il était renversé en arrière, la lueur des deux chandeliers l'éclairait ; sa face blanche regardait le ciel, il laissait Cosette et Marius couvrir ses mains de baisers ; il était mort.

La nuit était sans étoiles et profondément obscure. Sans doute, dans l'ombre, quelque ange immense était debout, les ailes déployées, attendant l'âme.

Table

CE ROMAN
VOUS A PLU ?

Donnez votre avis
et retrouvez la communauté
jeunes adultes sur le site

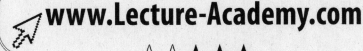

www.Lecture-Academy.com

PAPIER À BASE DE FIBRES CERTIFIÉES

Le Livre de Poche s'engage pour l'environnement en réduisant l'empreinte carbone de ses livres. Celle de cet exemplaire est de :

290 g éq. CO_2

Rendez-vous sur
www.livredepoche-durable.fr

Composition JOUVE – 45770 Saran
N° 801795X

Imprimé en Espagne par BLACK PRINT CPI IBERICA S.L.
32.03.3281.6/09 – ISBN : 978-2-01-323281-4
Dépôt légal 1re publication : avril 2012

Loi n° 49-956 du 16 juillet 1949 sur les publications destinées à la jeunesse.
Dépôt légal : janvier 2014